KB091985

논·술·세·계·대·표·문·학

37

지킬 박사와 하이드

로버트 루이스 스티븐슨 | 프랜시스 호즈슨 버넷 | 김현경 엮음

비밀의 화원

H훈민출판사

런던 버킹엄 궁전의 근위병 – 〈지킬 박사와 하이드〉의 배경은 영국 런던이다.

The Best World Literature

런던의 뒷거리 – 〈지킬 박사와 하이드〉의 첫 장면은 런던의 뒷골목에서 시작한다.

런던의 세인트폴 대성당

런던의 국회의사당

런던의 템스 강과 빅벤 시계탑

스티븐슨 – 〈지킬 박사와 하이드〉의
작가이다.

영국 빅토리아 여왕의 좌상

비밀의 화원에서 즐겁게 뛰노는
아이들

The Best World Literature

왼쪽부터 코린, 메리, 디콘

병약한 코린은 비밀의 화원을 보기 위해
밖으로 나온다.

구인환(丘仁煥)

서울대학교 사범대학 졸업. 동 대학원 졸업(문학박사)
서울대학교 명예교수, 소설가(현). 서울대학교 사범대학 국어교육연구소 소장(현)
문학과문학교육연구소 소장(현). 국제펜 한국본부 부회장(현)
한국소설문학상(1987). 예술문화대상(1994). 한국문학상(2000)
작품 〈숨쉬는 영정〉, 〈살아 있는 날들〉, 〈일어서는 산〉 외 다수

- **저서** 《한국단편소설의 이해》, 《한국현대소설의 비평적 성찰》,
  《고교생이 알아야 할 소설》, 《고교생이 알아야 할 세계단편소설》 외 다수

윤병로(尹柄魯)

성균관대학교 국어국문학과 졸업. 동 대학원 졸업(문학박사)
성균관대학교 교수, 문학평론가(현). 한국현대소설학회장(현)
한국문예학술저작권협회 이사(현). 한국간행물윤리위원회 위원(현)
한국펜 문학상(1987). 한국문학상(1988). 대한민국문학상(1989)
수필집 《나의 작은 애인들》 외 다수

- **저서** 《현대 작가론》, 《한국 현대 소설의 탐구》,
  《한국 근대 작가 작품 연구》, 《한국 현대 작가의 문제작 평설》 외 다수

홍성암(洪性岩)

고려대학교 국어국문학과 졸업. 한양대학교 대학원 국어국문학과 졸업(문학박사)
동덕여자대학교 교수, 소설가(현). 한국문인협회 회원(현)
한국소설가협회 이사(현). 국제펜 한국본부 소설분과 이사(현). 한민족 문화학회 회장(현)
창작집 《큰 물로 가는 큰 고기》, 《어떤 귀향》 외
대하역사소설 《남한산성》 (전9권) 외 다수

- **저서** 《문학의 이해》, 《현대 작가론》, 《한국 근대 역사소설 연구》 외 다수

기
획
·
감
수

버넷 – 영국 태생의 미국 여류 작가이다.

논술 *세계대표문학*을 펴내며

21세기의 사회는 '**전자 문명 시대**'라 일컬어질 만큼 오늘날 전자 산업은 우리 생활의 거의 모든 분야에 다양하게 응용되고 있습니다. 출판 분야 또한 예외는 아니어서, 종래의 서책(Book) 대신에 이른바 '전자책(CD-ROM)'의 출간이 최근 들어 날로 증가하고 있습니다.

그러나 이러한 전자책은 영상 또는 모니터상으로 흥미 위주나 백과사전식 지식을 습득하는 데는 효과적일지 모르지만, 문학 공부를 위해서는 별로 도움이 되지 않습니다. 바꾸어 말하면, 문학 공부는 각 지면마다 살아 숨쉬는 표현 하나하나를 독자 자신의 머리로 음미하면서 작품을 읽어 나가는 가운데, 풍부한 상상력의 배양과 함께 작가의 의도와 그 작품의 내면을 깊이 있게 이해함으로써 이루어지는 것입니다.

이에 훈민출판사에서는, 자라나는 학생들이 범람하는 영상 매체에 길들여지기 전에, 어려서부터 유명한 세계문학 작품들을 책자를 통하여 감명 깊게 읽고 감상함으로써, 올바른 문학 공부의 기틀을 다지고, 아울러 전인 교육도 할 수 있도록 《논술 세계대표문학(전60권)》을 펴내게 되었습니다.

작품 선정은, 초·중·고등학교 국어 교과서와 역사 교과서에 실리거나 소개된 문학 작품을 중심으로 하되, 그리스 신화와 성경 이야기 등의 고전에서부터 중세·근대·현대에 이르기까지 세르반테스·셰익스피어·톨스토이 등 세계 유명 작가들의 장·단편 소설들을 엄선·수록하였습니다. 또 세계의 명시도 별권으로 엮었으며, 특히 각 단락마다 '**논술 문제**'를 제시하여, 장차 대학입시를 비롯한 각종 '논술 고사'에 예비 지식을 쌓을 수 있도록 배려하였습니다. 아무쪼록, 이 《논술 세계대표문학(전60권)》이 자라나는 학생들에게 문학 공부의 주춧돌이 되고, 나아가 미래를 살아가는 데 **정신적 자양분**이 되기를 진심으로 바라 마지않습니다.

훈민출판사

차례

지킬 박사와 하이드

스티븐슨

지은이

1850~1894년. 스코틀랜드의 에든버러에서 출생. 1876년 11살 연상의 기혼 여성과 결혼한 다음, 의붓아들을 즐겁게 해 주기 위해 작품을 썼는데, 그것이 바로 우리에게 잘 알려진 〈보물섬〉이다. 이후 〈지킬 박사와 하이드〉, 〈유괴당하다〉 등의 작품을 발표하면서 유명해졌다. 말년을 남태평양의 서사모아 제도에서 보내던 그는 1894년 갑작스러운 발작으로 세상을 떠나고 말았다.

지킬 박사와 하이드

변호사 어터슨

　변호사 어터슨은 감정을 잘 드러내지 않는 근엄한 얼굴의 사나이였다. 게다가 거친 살결에 체구는 깡마르게 여위었고, 옷은 언제나 꾀죄죄하게 구겨져 있었다.

　또한, 어터슨은 자기 자신에게 매우 엄격했다. 혼자 있는 시간에는 좋아하는 포도주조차 마시지를 않았고, 연극을 좋아하면서도 지난 20여 년 동안 연극 관람을 한 번도 한 일이 없었다.

　그러나 차가운 얼굴 한구석에는 항상 인간적인 면이 뚜렷하게 나타났다. 어딘지 모르게 사람을 끄는 매력 같은 것이 느껴지기도 했다.

　이따금 친하게 지내는 사람끼리의 모임에서 술이 약간 오르면, 사람에 대한 따뜻한 정이 눈가에 어리고는 했다.

　다른 사람들의 잘못에도 어터슨은 언제나 관대했다. 친구들의 잘못을 꾸짖기보다는 그들의 입장을 이해하려고 노력했다. 그리고 나쁜 짓을 한 사람일지라도 그 사람을 탓하기보다는 오히려 그를 도와주고 싶어하는 마음을 가진 인물이었다.

　어터슨은 가끔 타락해 가는 사람들과 마지막까지 교제를 끊지 않고, 힘이 되어 주는 일도 있었다. 또한, 나쁜 짓을 한 사람들이 그의 변호사 사무실에 찾아와도 싫은 표정을 짓거나, 방문을 거절하는 태도를 보인

일조차 없었다.

　이러한 것들이 보통 사람들에게는 힘든 일일 테지만, 어터슨에게는 타고난 천성을 바탕으로 이루어진 것이었다. 어터슨은 사람과 사귀며 우정을 만들 때도 차별하지 않고 따뜻하게 감싸 주는 것을 원칙으로 하였다.

　언제나 말이 없고 내성적인 어터슨에게 친구라고는 친척들과 오랫동안 사귀어 온 사람들뿐이었다. 그러나 그가 만든 우정은 세월의 흐름에 따라 더욱 두터워지고 깊어졌다. 따라서, 어터슨에게 있어서 상대방의 훌륭한 사회적 지위라든가 하는 것은 중요한 게 아니었다.

　그렇기 때문에 어터슨은 엔필드와도 친하게 지내고 있었다. 어터슨의 먼 친척뻘이 되는 엔필드는 런던에서도 유명한 놀기 좋아하는 망나니였다.

　너무나 서로 다른 두 사람이 어떻게 친한 사이가 됐는지 사람들은 도무지 알 수가 없었다.

　일요일이 되면 두 사람은 언제나 함께 산책을 했다. 그러나 산책을 하면서도 서로 이야기를 주고받거나 하는 일은 없었다. 얼굴에는 몹시 따분하다는 듯한 표정마저 엿보였다. 그러다가 아는 사람을 만나기라도 하면, 이젠 살았다는 듯이 그 사람에게 말을 건네는 것이었다.

　그러면서도 두 사람은 일요일의 산책을 그만두려 하지 않았다. 다른 어떤 즐거운 볼일이 있어도 아랑곳하지 않고, 이 무미건조한 매 주일의 산책 약속을 지켰다.

　어느 일요일 아침, 두 사람은 산책을 하다가 우연히 런던 번화가의 한구석에 있는 조그마한 골목으로 접어들었다.

　보통 때는 물건을 사고 파는 사람들로 북적이던 골목이 일요일인 오늘은 매우 한적하고 조용했다. 상점들도 모두 문이 닫혀 있었고, 오가는 사람조차 드물었다.

그 골목에는 사람들의 시선을 끌기 위해서 화려한 장식을 한 상점들이 양쪽에 죽 늘어서 있었다. 골목을 지나가는 사람들은 깔끔하게 단장을 하고, 상냥한 미소를 띤 점원들이 두 줄로 나란히 서 있는 것 같은 느낌을 받고는 했다.

행여 다른 가게에 뒤질세라 어느 상점이나 물건들을 잔뜩 진열해 놓고, 진열장도 호화롭게 장식했다.

새로 페인트 칠을 한 창틀, 반짝반짝 빛나게 닦은 놋쇠 간판과 문의 장식도 사람들의 시선을 끌기에 충분했다. 모두 깨끗하고 아름답게 꾸며져 있어 보는 이들의 마음을 즐겁게 해 주었다.

왼편 모퉁이로부터 두 번째 집에서 상점들이 있는 골목은 끝났다.

도로 쪽으로 보기 흉하게 불쑥 나와 있는 그 두 번째 집은 삐죽한 지붕을 거리로 내밀고 있었다. 누가 보아도 어딘지 모르게 음산한 느낌을 주는 건물이었다.

창문이라고는 아래층에 겨우 하나가 있을 뿐인 2층 집으로, 뒤뜰로 들어가는 조그마한 문이 나 있었다.

초인종도 달려 있지 않은 현관문은 오래되어 페인트 칠이 군데군데 벗겨져 있었고 오랫동안 손질을 하지 않은 듯 몹시 더러웠다. 게다가 입구 계단에는 아이들이 소꿉장난이라도 했는지 어지럽게 널려 있었다. 장난꾸러기 아이들이 뾰족한 것으로 마구 긁어 놓은 것 같은 흔적도 그대로 남아 있었다.

엔필드와 어터슨은 골목 어귀에 이르자, 전혀 사람의 기척이라고는 느껴지지 않는 그 건물 앞에서 걸음을 멈추었다.

엔필드가 짚고 있던 지팡이를 들어 뒤뜰 입구를 가리키며 말했다.

"자네는 저 입구를 잘 알고 있나? 저 문을 보면 나는 아주 이상한 일

을 생각하게 되네.”

엔필드가 비밀이라도 알려주는 듯 목소리를 낮추어 말했다.

“저 입구는 아주 기묘한 사건과 관계가 있어.”

“기묘한 사건이라니? 무슨 일인가?”

어터슨이 궁금해하자 엔필드가 천천히 이야기했다.

한밤중에 일어난 일

“어느 추운 겨울날 새벽 3시경이었네. 나는 전날 일이 있어서 여기서
멀리 떨어져 있는 곳에 갔다가 볼일을 마치고 돌아오는 길이었지. 사
람이라고는 그림자조차 얼씬거리지 않는 새벽길이었어. 가로등 불빛
만 길을 비추고 있었지.”

그 때의 무서움이 되살아나는 듯 엔필드는 몸을 한 번 움츠렸다가 폈다. 그리고 곧 말을 이었다.

"웬만큼 대수롭지 않은 일에는 별로 겁을 먹지 않는 나도 그 때는 왠지 마음이 불안했어. 길을 걸으면서도 계속 무슨 소리가 들리지 않나 귀를 기울이기도 했지. 조금 더 지나서는 근처에 경찰이라도 있었으면 하고 바라게 될 정도로 초조함을 느꼈다네. 그런데 갑자기 양쪽에서 두 사람이 나타났어. 몸집이 아주 작은 사나이 하나가 빠른 걸음으로 한쪽에서 걸어오고 있었고, 또 다른 한쪽에서는 8, 9세쯤 되어 보이는 여자아이가 네거리를 향해 열심히 달려오고 있었지. 나는 잔뜩 긴장하고 있었던 터라 두 사람이 나타나자 조금은 마음이 놓였다네."

엔필드는 어터슨을 힐끔 보고 나서 말을 계속했다.

"그런데 둘 다 빠른 걸음으로 급히 걷고 있었기 때문에 길모퉁이에서 부딪쳤어. 그리고는 정말 내 눈을 믿을 수 없는 일이 벌어졌지. 서로 부딪쳐서 여자아이가 쓰러졌거든. 그런데 그 몸집이 작은 사내는 여자아이를 일으켜 세우지도 않고 그대로 어린아이를 밟고 지나가 버렸어. 어린아이는 쓰러진 채 마구 울어댔지. 그 광경을 보자 나는 너무 어이가 없더군. 그리고 온몸이 떨리는 걸 느꼈어. 쓰러진 조그마한 어린아이를 나뭇조각 밟듯 짓밟고 지나가 버리다니, 그건 인간이 할 짓이 아니잖나? 그런 짓은 짐승이나 할 법한 일이지."

그 당시의 분노가 되살아났는지 엔필드는 두 주먹을 불끈 쥐었다.

"그 순간, 나는 나도 모르게 '서라! 저놈 잡아라!' 하고 외쳤어. 그리고 달려가서는 그놈의 멱살을 잡아 끌고 왔다네. 그 사이에 벌써 많은 사람들이 몰려 있더군. 그런데도 그놈은 아주 태연한 얼굴로 나를 노려보고 있는 것이 아니겠나? 그런데 놈의 눈초리가 뭐라고 형용할 수 없을 만큼 몹시 기분이 나빴어. 너무나 흉측한 얼굴이었지. 나는 온몸에 식은땀이 흘렀다네. 그 때 마침 의사가 달려왔어. 의사는, 다행히 아이는 별로 다친 데는 없고, 심하게 놀란 것뿐이라고 하더군. 여기까지만 이야기를 들으면, 사건은 그 정도에서 마무리가 된 것처럼 생각될 거야. 하지만 그게 전부가 아니라네. 어터슨, 내가 그 사람을 보는 순간 몹시 기분이 나빠졌다고 하지 않았나? 의사도 그 작은 사나이를 보자 무언지 섬뜩함을 느낀 거야. 아이의 가족뿐만 아니라 주위에 몰려 있던 다른 사람들도 마찬가지였지. 우리는 화가 나서 어린아이를 짓밟은 그 비열한 행태를 온 런던에 퍼뜨리겠다고 말했네. 명예를 실추시켜서 다시는 사람들과 어울릴 수 없게 말이야. 사람들은 모두 그 사나이에 대한 증오심을 띤 얼굴을 하고 있었어. 그런데 우리들이 화를 내면서 그렇게 소리소리 지르고 꾸짖는데도 그놈은 너무 태연하기만 했다네. 오히려 사람들을 비웃는 듯한 태도로 한가운데에 떡 버티고 서 있을 정도였지. 그리고는 입가에 미소마저 띠며 이렇게 말하는 것이 아니겠나? '당신네들이 이쯤에서 이 일을 끝내고 싶어하지 않으니 하는 수 없군. 나도 신사니까 흉한 꼴은 당하고 싶지 않소. 당신네들이 원하는 돈의 액수가 얼마요? 얼마나 필요한가 똑똑히 말해 보시오.' 하더군. 의사와 나는 그 어린아이와 가족에게 100파운드를 주라고 말했지. 그런데 곧 그놈한테 어떻게 돈을 받아내야 좋을지 몰라 난처해졌다네. 우리는 돈을 받아 내기 위해 궁리를 했지. 놈은 우리들을 데리고 바로 저 입구가 있는 길모퉁이 저택으로 왔어. 그리고는 주머니에서 열쇠를 꺼내 문을 열고 안으로 들어갔다가, 잠시 후에 다시 나오더군."

어터슨은 묵묵히 다음 이야기를 기다리고 있었다.

"그는 우리들에게 금화 10파운드와 커우츠 은행에서 발행한 수표를 갖고 나왔다네. 수표에 사인을 한 사람에게만 돈을 지불할 수 있는 수표였어. 수표에는 사인이 되어 있었지. 그 사람의 이름을 함부로 밝히기에는 너무 유명한 사람이었어. 하지만 나는 수표가 진짜인지, 혹시 가짜는 아닌지 의심스러워서 분명하게 말했다네. 새벽에 뒷문으로 들어가 100파운드란 돈을, 그것도 다른 사람 이름의 수표를 가지고 나온 게 분명하다고. 도무지 믿을 수가 없다고 했어. 난 그 수표가 분명히 가짜일 거라고 확신했지. 그러자 그놈은 오히려 우리를 안심시키더군. 게다가 은행 문이 열릴 때까지 같이 있다가 자신의 손으로 직접 현금으로 바꾸어 주겠다는 거야. 그래서 의사와 그 소녀의 아버지와 나는 그놈과 같이 내 아파트로 가서 날이 밝기를 기다렸네. 은행 문이 열리자마자 우리는 모두 은행 안으로 들어갔어. 나는 그 수표를 은행원에게 건네주며, 먼저 이 수표가 진짜인지 가짜인지를 알고 싶다고 말했어. 그런데 어떻게 됐는지 아나? 그 수표는 틀림없는 진짜라는 거야."

"쯧쯧!"

엔필드의 말을 들은 어터슨은 혀를 찼다.

"자네도 억울하다고 생각하나? 정말 기분 나쁜 일이야. 우리들은 어떻게든 그자를 혼내주고 싶었는데, 어쩔 수가 없었어. 정말 어이가 없었지. 게다가 그 수표에 사인을 한 사람은 훌륭한 신사로 유명한 사람 아닌가. 모두가 좋은 사람이라고 인정을 하는 사람이란 말이야. 나는 혼자 곰곰이 생각을 해 보기도 했다네. 혹시 그자가 그 신사에게 위협을 한 것은 아닐까 하고 말이야."

엔필드는 여기까지 이야기하더니, 입을 다물고는 말없이 깊은 생각에 잠겨 버렸다.

"자네는, 그 수표에 서명한 사람이 그 집에 살고 있는지 안 살고 있는지 확인해 보았나?"

갑자기 어터슨이 묻자, 엔필드는 제정신으로 돌아와 대답했다.

"아마 살고 있겠지. 자기가 살고 싶은 마음만 있으면 아무나 들어와 살 수 있는 그런 집이니까. 하지만, 내가 우연히 그의 주소를 알게 되었는데, 그는 그 곳이 아닌 다른 곳에서 살고 있더군."

"그렇다면 자네는 저 집에 대해서 아무것도 알아보지 않았나?"

어터슨이 말했다.

"전혀. 자네도 알다시피 난 그런 것을 캐묻고 다니는 성미가 아니라서 말이야. 뭔가 한 가지를 알아보려고 하면, 꼬리를 물고 다른 일들이 생겨 버리거든. 괜히 피해만 입게 되는 경우도 있지. 게다가 그 때는 신경이 너무 날카로워져 있었어. 그자에게 물어 보고 싶기도 했지만, 쉽지 않은 일처럼 느껴졌지. 아무튼 조금 이상하다고 생각되는 문제들은 도리어 캐묻지 않는 게 좋아."

"그거 참 괜찮은 방법이군 그래."

엔필드의 이야기를 듣고 난 어터슨은 빈정거리는 투로 말했다.

엔필드가 이야기를 계속했다.

"그래도 난 그 뒤로 그 집에 대해 알아보았다네. 보통 집과 생김새도 다르고, 문도 뒤뜰로 통하는 그 입구 하나밖에는 없어. 창문도 아래층에는 하나도 없고 골목 쪽을 향해 세 개가 나 있는 게 전부야. 그 창도 늘 닫혀 있더군. 하지만, 굴뚝에서 가끔 연기가 나오는 것을 보면 사람이 살고 있는 것만은 분명한 것 같아. 집들이 빽빽이 들어서 있어서 확실하게 어느 집에서 나는 연기인지 알 수는 없지만 말이야. 한 가지 장담할 수 있는 것은, 그자는 아직도 저 집을 드나들고 있다는 점이라네. 그 문으로 드나드는 작은 체구의 사나이를 그 뒤로도 몇 번 본 적이 있거든."

두 사람은 한동안 서로 아무 말도 하지 않은 채 걸었다. 그 때 어터슨이 물었다.

"하나 물어 보고 싶은 것이 있는데, 그자의 이름이 무엇인가? 어린아이를 밟고 지나갔다는 그자 말일세."

"하이드라는 이름이었던 걸로 기억하네."

엔필드가 대답했다.

"흠, 그래? 어떻게 생긴 사나이던가?"

"무어라고 딱 꼬집어 말할 수는 없지만, 뭔가 이상한 느낌을 주는 얼굴이었어. 난 이제까지 그렇게 흉측하고 불쾌한 느낌이 드는 얼굴은 본 적이 없네. 정말 소름이 끼칠 만큼 기분 나쁜 얼굴이었지. 어떤 점이 이상한지는 잘 표현할 수가 없구만. 그 녀석의 얼굴을 어떻게 표현해야 좋을지……. 아무튼 지금도 그자의 모습이 뚜렷하게 떠오를 만큼 생생하게 기억하고 있는데도 뭐라 설명을 할 수가 없어.”

엔필드의 이야기를 듣고 난 어터슨은 잠자코 걷기만 했다. 무엇인가 깊이 생각하고 있는 듯했다.

시간이 조금 흐른 후에 어터슨이 물었다.

“그 사나이가 열쇠를 사용한 것만은 확실한가? 그 사나이가 열쇠를 가지고 있었는지 궁금해서 말일세.”

“그게 무슨 말인가? 내 이야기를 믿지 못하겠다는 건가?”

엔필드가 몹시 기분이 상한 듯 시무룩한 어조로 대꾸했다.

“아니야, 자네 말을 믿지 못하겠다는 것이 아닐세. 그냥 좀 이상하다는 생각이 들어서 그래. 나는 자네가 이야기한 그 훌륭한 신사의 이름을 알고 있거든. 그래서 사건의 내용을 좀더 분명하게 알아두고 싶었을 뿐이야. 혹시 사실과 다른 점이 있다면 지금 이야기해 주면 좋을 것 같군.”

어터슨의 이야기를 들은 엔필드는 아직도 기분이 상한 듯 정색을 하며 말했다.

“꾸며 낸 이야기가 아니야. 난 사실과 다른 이야기는 조금도 하지 않았네. 그자는 분명히 열쇠를 가지고 있었어. 아니, 지금도 가지고 있겠지. 나는 바로 일주일쯤 전에도 그자가 저 문을 열기 위해 열쇠를 사용하는 것을 보았단 말일세.”

어터슨은 깊은 한숨을 내쉬었다.

어터슨이 더 이상 아무 말도 하지 않자, 엔필드가 이어서 말했다.

“너무 많은 이야기를 했구만. 쓸데없는 이야기는 하지 않는 게 좋은데 말이야. 우리 앞으로 이 이야기를 꺼내지 말기로 하지. 어떤가?”

“그렇게 하세. 그러는 게 좋겠어.”

어터슨이 말했다.

지킬 박사의 유언장

그 날 저녁, 어터슨은 무거운 발걸음으로 집에 돌아와 식탁에 앉았다. 그러나 입맛이 없어 식사를 하는 둥 마는 둥 끝내고 말았다.

보통 일요일 저녁이면 어터슨은 언제나 식사를 마친 후 난롯가에 앉아서 신학책을 읽고는 했다. 그러다가 자정을 알리는 교회의 종소리가 들리면, 그 날 하루가 무사히 끝난 것을 감사드리며 잠자리에 들었다.

그러나 이 날 저녁은 좀 달랐다. 식사를 마친 어터슨은 촛불을 켜 들고 자신의 사무실로 갔다. 그리고 금고를 열어 '지킬 박사의 유언장'이라고 쓰여 있는 봉투 하나를 꺼냈다.

봉투 안에서 한 장의 서류를 꺼내든 어터슨은 굳은 표정으로 그것을 읽어 나갔다.

그 유언장은 지킬 박사가 손수 쓴 것으로, 변호사인 어터슨의 사무실에서 만들어졌기 때문에 어터슨이 보관하고 있었다. 그러나 지킬 박사가 그 유언장을 만들 때 어터슨은 아무 조언도 하지 않았었다. 지킬 박사가 어터슨의 도움을 거절하고 혼자 유언장을 작성하기를 바랐기 때문이다.

유언장에는 다음과 같은 내용이 적혀 있었다.

의학 박사요 법학 박사, 그리고 영국 학사원 회원인 헨리 지킬이 사망할 경우, 지킬 박사가 가지고 있는 전 재산을 그의 친구요 은인인 에드워드 하이드에게 모두 양도한다.
그리고 지킬 박사가 3개월 이상 행방 불명이 되거나 연락이 되지 않을 경우에도 에드워드 하이드가 지체없이 헨리 지킬의 모든 재산을 물려받는다.

지킬 박사의 가족에게는 약간의 재산을 나누어 주기만 할 뿐, 어떠한 의무나 책임도 가지지 않는다.

기분 내키는 대로 마구 쓴 것 같은 이 엉뚱한 유언장을 읽으며 어터슨은 불쾌감을 느꼈다.

어터슨은 사회적인 관습을 중요하게 생각하는 변호사였다. 따라서, 여느 유언장과는 달리 불성실하게 작성된 듯한 이 유언장에 기분이 상했던 것이다. 또한, 그는 하이드라는 인물을 전혀 알지 못했기 때문에 더욱 불쾌한 기분이 들었는지도 모른다.

"이 유언장은 아무래도 지킬 박사가 제정신으로 쓴 것 같지는 않아. 분명히 무엇인가가 숨겨져 있어."

어터슨은 이렇게 중얼거리며 그 불쾌한 서류를 다시 금고 속에 집어

넣었다. 그리고 외투를 걸치고 집을 나왔다. 그는 캐번디시 광장을 향해 걸음을 옮겼다. 캐번디시 광장은 병원이 늘어서 있는 곳으로, 언제나 환자들로 붐볐다. 친구인 의학 박사 레니언도 이 곳에 살고 있었다.

길을 걸으며 어터슨은 생각했다.

'레니언은 분명히 하이드에 대해 알고 있을 거야.'

무표정한 레니언의 하인은 어터슨의 얼굴을 보자마자 곧 레니언 박사에게 안내했다.

어터슨은 곧장 식당 안으로 들어갔다. 레니언 박사는 혼자 술을 마시고 있었다. 나이에 맞지 않게 머리는 하얗게 샜지만, 혈기 왕성하고 언제나 생기가 넘치는 건장한 사나이였다.

레니언과 어터슨은 어릴 때부터 오랫동안 사귀어온 친구이자, 초등학교에서 대학교까지 줄곧 같은 학교를 마친 동창생이기도 했다. 그리고 무엇보다 두 사람은 서로 상대방을 존경하는 사이였다.

"여, 어터슨. 오랜만이군!"

무척 상냥한 사람인 레니언은 의자에서 벌떡 일어나 쾌활하고 활기에 넘치는 태도로 어터슨을 맞았다. 처음 보는 사람들은 이런 레니언의 태도를 어색해하기도 하였지만, 상냥한 레니언의 태도는 어떠한 꾸밈이나 거짓이 없는, 진심에서 우러나오는 행동이기도 했다.

잠시 이런저런 이야기를 나누다가 어터슨은 자신의 기분을 불쾌하게 만든 사건에 대해 이야기하기 시작했다.

"레니언, 자네와 나는 헨리 지킬의 친구들 중에서도 그와 가장 친한 사람들인 게 틀림없지? 나는 자네와 내가 지킬 박사와 아주 오래된 친구 사이라고 생각하는데……."

"그야 가장 오랜 친구 사이라는 것은 틀림없지. 그런데 그게 어떻게 됐다는 건가? 난 요즈음 전혀 그를 만나지 못했네."

레니언 박사가 웃으며 말했다.

"정말인가? 나는 자네와 지킬이 같은 연구 분야에서 일을 하고 있어서 자주 만나고 있을 것이라 생각하고 있었는데. 뜻밖인걸?"

"전에는 그랬었지."

레니언 박사는 이렇게 대답하고 계속 말을 이었다.

"그런데 10년 전쯤부터 헨리 지킬은 이상한 행동을 계속 보이고 있어, 머리가 어떻게 되기라도 한 사람처럼. 아무튼 정상이 아니야. 물론 나는 오랫동안 쌓아온 우정 때문에 관심을 가지고 지켜보았지. 하지만 직접 찾아가거나 하지는 않았네. 그렇게 비과학적인 잠꼬대 같은 소리만 늘어놓는데 어떻게 같이 이야기를 나누며 친하게 지낼 수 있겠나? 누구라도 싫증이 나 버릴 거야!"

레니언 박사는 흥분하며 떠들어댔다.

레니언 박사의 이야기를 들은 어터슨은 안도의 숨을 내쉬었다.

'별일은 없었던 것이군. 단지 두 사람이 학문상의 일로 서로 의견이 맞지 않아서 연락이 뜸했던 거야. 그걸로 사이가 벌어진 모양이야.'

어터슨은 레니언 박사가 흥분을 가라앉히기를 기다렸다. 그리고는 정말 궁금하게 여기고 있던 문제를 꺼냈다.

"자네 혹시 헨리 지킬의 상속인을 만나 본 일이 있는가? 하이드란 사나이인데……."

레니언 박사는 머리를 내저었다.

어터슨이 이 날 레니언 박사를 통해 알아낸 정보는 이것이 전부였다.

하 이 드

어터슨은 집으로 돌아와 잠자리에 들었다. 그러나 정신은 점점 맑아질 뿐 쉽게 잠이 들지 않았다. 캄캄한 어둠 속에서 잇따라 여러 가지 의심스러운 생각이 떠올라 머리를 어지럽혔다.

어느 새 교회의 종소리가 6시를 알렸다. 날이 밝아오고 있었다.

어터슨은 엔필드가 들려준 이야기를 되살려 보았다.

가로등이 켜져 있는 런던의 어두운 밤거리를 작은 몸집의 사나이가 빠른 걸음으로 걸어가는 모습을 상상했다. 이윽고, 한 여자아이가 반대편에서 달려왔다. 여자아이와 사나이는 길모퉁이에서 맞부딪친다. 그러나 작은 몸집의 사나이는 마치 악마와도 같이 연약한 몸집의 어린아이를 그대로 짓밟고 지나간다. 놀란 어린아이는 비명을 지르며 마구 운다. 그 사나이는 모른 체하고 그냥 길을 지나갈 뿐이다.

어터슨은 다시 다른 장면을 상상해 보았다.

어느 부잣집 저택 안. 방 안에는 그의 친구 지킬 박사가 자고 있다. 즐거운 꿈을 꾸고 있는 듯 그의 얼굴에는 옅은 미소가 어려 있다. 그때, 방문이 열리고 무엇인가가 침대의 커튼을 홱 젖히며 지킬 박사의 눈을 뜨게 한다. 그리고는 '일어나라!'고 외치며 지킬 박사에게 명령을 한다. 놀라서 눈을 뜬 지킬 박사의 침대 옆에는 한 사나이가 서 있었다. 지킬 박사는 그 사나이가 시키는 대로했다. 그 사나이는 지킬 박사를 자기 마음대로 조종할 수 있는 사람인 것이다.

어터슨은 밤새 이 두 가지 환상에 나오는 사나이의 모습에 시달렸다. 스르르 잠이 들려고 하면 어느 새 머릿속에는 이 사나이의 모습이 떠올랐다.

하룻밤 내내 알 수 없는 사나이에게 시달린 어터슨은 하이드의 얼굴이 보고 싶었다. 호기심이 강한 어터슨은 당장이라도 하이드를 보고 싶어 견딜 수가 없었다.

'단 한 번만이라도 하이드라는 사나이를 만날 수 있다면, 유언장에 담긴 수수께끼를 풀 수 있을 텐데. 신비한 일이라 하더라도 자세히 조사하고 이것저것 알아보면, 꼭 그 비밀을 벗겨낼 수 있을 거야. 왜 헨리 지킬이 정체도 알 수 없는 하이드에게 그렇게 호의적인지, 그리고 그놈에게 매여서 변덕스럽게 행동하는 이유도 알 수 있을 것 같은데. 게다가 왜 그런 이상한 유언장을 쓰게 됐는지 까닭도 알 수 있을 거고.'

어터슨은 혼자만의 생각에 계속 골몰하였다.

'아니, 아니, 그런 건 다 몰라도 상관없어. 그놈의 얼굴만이라도 볼 수 있다면 그것만으로도 충분해. 평소에도 웬만한 일에는 겁을 내지 않는 엔필드까지도 그의 얼굴을 보고 소름이 끼쳤다고 말할 정도니까. 어떻게 생긴 사람인지, 그 얼굴만 봐도 좋겠는데……'

그 날부터 상점들이 있는 뒷골목 거리에서 어터슨의 모습을 자주 볼 수 있었다. 이제 막 어둠이 걷히고 밝아지기 시작한 이른 아침이나, 점심때, 또는 안개가 짙게 낀 달밤 등, 그 날 하루 중 시간이 생기는 대로 와서는 그 뒷골목의 이상한 집 입구에서 시간을 보내는 것이었다. 어터슨은 그가 '하이드 씨(숨는 사람)'라면 나는 '시크(찾는 사람)'가 되리라 작정하고 꾸준히 그 골목에서 하이드라는 사나이가 나타나기를 기다렸다.

그러던 어느 날, 마침내 어터슨은 기다린 보람을 찾게 되었다. 몹시 건조하고 바람 한 점 없는 늦은 저녁이었다. 거리는 아주 깨끗하고, 가로등은 깨끗한 거리를 환히 비추고 있었다.

상점들이 10시쯤에 문을 닫았기 때문에, 10시가 지나자 골목은 사람의 그림자조차도 보이지 않았다. 거리 전체가 텅 빈 것만 같았다. 한적한 거리는 아주 작은 소리도 똑똑하게 들릴 정도였다.

어터슨이 그 이상한 집 뒤뜰로 난 입구 앞에 선 지 얼마 되지 않아 이상하게 느껴지는 발소리가 들려왔다. 왠지 불길한 느낌을 주기도 하고, 묘하게 사람의 주의를 끄는 듯한 발소리였다.

어터슨은 얼른 몸을 숨겼다.

발소리는 어터슨이 있는 쪽으로 점점 다가오고 있었다. 그 소리는 갑자기 아주 커다란 소리로 변했다.

어터슨은 어둠 속에서 눈을 빛내며 다가오는 사나이를 살펴보았다. 작은 몸집에 평범한 복장을 하고 있었다.

그 사나이가 가로등 밑을 지날 때, 어터슨은 가로등 불빛에 비친 그의 얼굴을 볼 수 있었다. 그의 얼굴을 본 순간 어터슨은 온몸에 소름이 끼쳤다. 무어라 표현할 수 없을 정도로 보는 이의 마음을 불쾌하게 만드는 얼굴이었다.

몸집이 작은 사나이는 문 앞에 이르자, 곧 익숙한 몸짓으로 자기 집에라도 온 듯이 주머니에서 열쇠를 꺼냈다.

어터슨은 재빨리 그 사나이의 곁으로 다가가서 어깨에 손을 올리며 말했다.

"혹시 하이드 씨 아닌가요?"

그는 깜짝 놀란 듯 돌아섰다. '훅' 하고 내쉬는 그의 숨소리가 들렸으나 아무렇지 않다는 듯 시치미를 떼고 태연하게 대답했다.

"맞습니다. 그런데 무슨 일이시지요?"

"아, 만나 뵙게 되어 반갑습니다. 저는 고운트 거리에 살고 있는 어터슨 변호사라고 합니다. 헨리 지킬 박사와는 오랜 친구 사이지요. 아마 제 이름은 알고 계시리라 생각합니다. 지킬 박사님 댁으로 들어가시는 중인 것 같은데, 저도 같이 들어갈 수 있을까요?"

"지킬 박사님은 지금 안 계십니다. 오늘은 만나실 수 없을 것 같군요."

하이드는 열쇠를 도로 주머니에 넣고 눈은 여전히 딴 곳을 향한 채 어터슨에게 물었다.

"그런데 저를 어떻게 알아보셨나요? 언제 인사를 나눈 적이 있었던가요?"

사나이의 질문에는 대답도 하지 않고 어터슨은 자기 말을 이었다.

"부탁드리고 싶은 것이 있습니다."

'부탁' 이라는 말에 사나이는 잠시 당황스러워하더니, 이윽고 입을 열었다.

"저한테 부탁하고 싶은 게 있다고요? 그게 뭐지요? 말씀해 보세요."

"실례가 되는 줄은 알지만, 하이드 씨, 제게 당신의 얼굴을 보여 주실 수 있겠습니까?"

어터슨의 말을 들은 하이드는 잠깐 망설이는 듯하더니, 갑자기 그에게 화를 내기라도 할 것처럼 홱 돌아섰다.

몇 분간 두 사람은 아무 말 없이 서로를 노려보았다.

이윽고 어터슨이 먼저 입을 열었다.

"이제는 됐습니다. 당신의 얼굴을 봤으니, 다음에 만나더라도 몰라보고 그냥 지나치는 일은 없을 겁니다. 큰 도움이 되었습니다. 조만간에 다시 만나게 될지도 모르겠군요."

"저도 이렇게 뵙게 되어 반갑습니다, 어터슨 변호사. 이왕이면 제 주소를 가르쳐 드리지요."

하이드는 어터슨에게 소호 거리에 있는 자신의 주소를 일러 주었다.

그런데 그 주소를 본 어터슨은 또 한번 놀라지 않을 수 없었다. 그 자가 적어 준 주소는 지킬 박사의 유언장에 적혀 있는 주소와 같았기 때문이다.

"그런데 저를 어떻게 알아보셨지요?"

하이드가 다시 물었다.

"당신의 인상에 대해 이야기를 들은 적이 있었습니다."

"누구에게서 들으셨나요?"

"평소에도 저와 친하게 지내는 오랜 친구가 있지요. 그 친구가 제게 이야기를 들려주었습니다."

"그래요? 오랜 친구라니, 그분은 누구신가요?"

하이드가 무언가 다급한 듯이 말했다.

"지킬 박사입니다."

"그럴 리가? 당신은 지금 거짓말을 하고 있는 거예요. 터무니없는 거짓말을!"

하이드 씨는 화가 난 목소리로 얼굴을 붉히며 큰 소리로 외쳤다.

그러나 어터슨은 하이드의 말을 듣자 모욕감을 느낀 듯 말했다.

"거짓말이라니요? 그런 심한 말씀을……."

어터슨의 말이 끝나기도 전에 하이드는 목을 뒤로 젖혀 한껏 소리 높여 웃더니 곧 집 안으로 사라져 버렸다.

어터슨의 고민

어터슨은 어리둥절하여 한동안 넋을 잃고 그 자리에 서 있었다. 얼마 후, 정신을 차린 어터슨은 큰 거리 쪽으로 걸음을 옮겼다. 그러나 한 발짝씩 떼어놓고 고민에 빠진 채 그 자리에 멈추어 서고는 했다. 그리고 다시 걸음을 옮기는 것이었다. 그는 아주 난처한 입장에 놓인 사람처럼 이마에 자꾸 손을 대고 생각에 골몰하였다. 아무리 생각해 보아도 그를 당황하게 만든 문제의 답은 쉽게 찾을 수 없었다.

다시 한 번 방금 전에 보았던 하이드 씨의 모습을 떠올려 보았다. 하이드의 몸집은 난쟁이만큼이나 아주 작았고, 얼굴은 몹시 창백했다. 더구나 그의 웃음소리는 듣는 사람에게 너무나 불쾌한 기분을 갖게 하였다. 그 안에는 겁쟁이와 같은 비겁함뿐만 아니라, 잔인함과 대담성이 뒤섞여 있는 것 같았다. 게다가 쉰 듯한 목소리를 낮게 깔고 속삭이듯 이야기하는 것과, 정확하지 않은 발음 등 모든 것에서 쉽게 풀릴 것 같지 않은 의혹과 불안감이 느껴졌다.

잠깐 동안의 만남이었지만, 그 사나이의 모든 것이 어터슨의 마음에 들지 않았다.

'그를 보았을 때 느낀 불쾌감과 공포감은 도대체 어디에서 비롯된 것일까?'

어터슨은 엔필드가 그랬던 것처럼 도무지 그 사나이에 대해 무어라 설명할 수가 없었다.

'딱 꼬집어 말할 수는 없지만, 무언가 이상해. 틀림없이 무슨 비밀이 있는 거야. 그 사나이는 아무리 보아도 사람 같지가 않아. 동굴이나 숲 속에 살던 원시인 같아. 아니면 악마 같은 정신을 가지고 있다가 결국에는 외모까지도 악마를 닮아 버린 건지도 모르지. 옛날 이야기에 나오는 펠 박사처럼 다른 사람에게 이유 없이 미움만을 받는 사람 같기도 하고. 아아, 불쌍한 지킬. 자네 새 친구의 얼굴은 마치 악마 같다는 생각이 드는구만. 내가 만약 악마의 얼굴을 알고 있다면, 그것은 바로 그 사나이, 하이드 같은 얼굴일 걸세.'

어터슨은 길모퉁이를 돌아 오래된 저택들이 늘어서 있는 골목으로 들어섰다. 얼마 전까지만 해도 아주 화려했던 이 저택들도 이제는 낡고 더럽혀져 초라해 보였다. 지금은 세를 놓았기 때문에 여러 계층의 사람들이 살고 있었다.

그러나 그 모퉁이에서 두 번째로 자리잡은 집 하나만은 옛 모습을 그대로 간직하고 있어서 현관에 들어서면 부잣집다운 묵직함을 느낄 수가 있었다. 지금은 문 위에 켜져 있는 외등 이외에는 모두 어둠 속에 잠겨 있었다.

어터슨이 평온해 보이는 그 집의 현관 앞에 서서 문을 두드리자, 나이 많은 집사가 나와 문을 열었다.

"폴 영감, 지킬 박사님 집에 계신가?"

어터슨이 집사인 폴 영감에게 물었다.

"잠깐만 기다리세요."

폴은 대답과 함께 어터슨을 현관의 큰 홀로 안내했다. 아늑한 분위기의 방 안에는 값비싼 참나무로 만든 가구들로 꾸며져 있었고, 벽난로에서는 불이 활활 기분 좋게 타오르고 있었다.

"이 난롯불 옆에서 좀 기다리고 계세요. 아니면 식당에서 기다리시겠어요?"

폴 영감이 어터슨에게 물었다.

"그냥 여기에서 기다리겠네."

어터슨은 이렇게 말한 다음, 난롯가에 있는 커다란 의자에 앉았다.

이 방은 평소에 지킬 박사가 좋아하는 방으로, 언제나 런던에서 가장 기분 좋은 방이라고 입버릇처럼 말하곤 했다. 어터슨도 역시 이 방을 좋아했다.

그런데 오늘 밤에는 어쩐지 으스스하고 음침한 느낌이 들었다. 게다가 하이드의 소름 끼치는 얼굴이 계속 떠올라 어터슨의 마음을 더욱 무겁게 했다. 갑자기 온몸에 공포감이 스며들었다.

평소에 손질을 잘 해 윤이 나는 양복장과 천장에 일렁이며 춤추는 듯한 불꽃의 그림자도 무엇인가 알 수 없는 높은 위험을 알리는 신호로 보이기만 했다.

잠시 후, 폴 영감이 들어왔다. 그는 지킬 박사가 외출 중이라고 알렸다.

어터슨은 '휴우!' 하고 안도의 한숨을 내쉬었다.

"아, 폴 영감! 조금 전에 하이드 씨가 낡은 실험실 문으로 들어오는 것을 보았다네. 예전에 지킬 박사가 사용하던 실험실 말이야. 지킬 박사가 없을 때 그렇게 들어가도 괜찮을까?"

"상관없습니다, 어터슨 변호사님. 하이드 씨는 열쇠를 가지고 계시거든요."

"지킬 박사는 그 사나이를 꽤 신임하고 있는가 보군."

어터슨은 조심스럽게 물어 보았다.

"예, 저희에게도 하이드 씨의 말에 무조건 복종하라고 분부하실 정도니까요."

"난 여기서 그 하이드 씨라는 사람을 한 번도 만난 일이 없는 것 같은데?"

"네, 그럴 거예요. 하이드 씨는 여기서 식사를 하시는 일이 없으니까요. 저희들도 그분과 마주치거나 한 적은 한 번도 없습니다. 그분은 대개 저쪽 실험실을 통해서 드나드시는 모양입니다."

폴 영감은 어터슨에게 이렇게 말했다.

"그렇군. 그럼 난 이만 가 보겠네. 잘 지내게, 폴."

"안녕히 가십시오, 어터슨 씨."

어터슨은 무거운 마음으로 그 저택을 나왔다.

'지킬에게 무슨 일인가 생긴 게 분명해. 불쌍한 지킬. 그 친구는 젊었을 때 거친 행동을 곧잘 하기도 하고, 꽤 엉뚱한 면을 보여 주기도 했지. 하지만 모두 옛날 일이야. 아주 오래된 일이라고. 그래도, 틀림없이 과거의 행동에 대한 벌을 받고 있는 게 분명해. 아무리 죄를 용서

받는다 하더라도, 하늘은 잘못된 사람에게는 벌을 내리는 법이거든.'

여기까지 생각이 미치자, 어터슨은 겁이 덜컥 났다. 그리고 자신의 과거의 행동은 어떠했는가? 잘못된 행동을 돌이키며 그는 반성하기 시작했다. 또한, 자신의 올바른 행동에 대해서는 경건한 마음으로 감사의 뜻을 표하고 싶은 마음이 생겨났다.

어터슨은 다시 하이드란 사나이를 생각하기 시작했다.

'그 하이드란 사나이에게는 분명 어떤 비밀이 있는 것이 틀림없어. 그것도 나쁜 비밀이. 하이드의 무서운 인상을 보면 알 수 있지. 지킬이 가지고 있는 비밀이 아무리 나쁘다고 해도 그자에 비하면 아무 것도 아닐 거야.'

어터슨은 천천히 걸어가며 생각을 계속했다.

'하이드의 잘못에 비하면 지킬의 잘못쯤은 아무것도 아닐 테지. 지금 벌어지고 있는 일을 이대로 내버려둘 수는 없어. 저 악마와 같은 얼굴을 한 하이드가 지킬 곁에 다가오다니. 정말 상상만 해도 끔찍한 일이야. 어쩌면 지킬의 생명이 위험한 상황인지도 몰라. 만약 하이드에게 재산을 남기겠다는 지킬의 유언장 내용을 그자가 알고 있다면, 무슨 일이 벌어질지 알 수 없는 일이야. 내가 어떻게든 이번 일을 자세히 알아봐야겠어.'

어터슨은 지킬 박사의 유언장 내용을 떠올리며 또다시 불길한 예감에 사로잡혔다.

지킬 박사의 부탁

2주일이 지난 후, 지킬 박사는 5, 6명의 친구들을 저녁식사에 초대했다. 지킬 박사는 종종 친하게 지내는 친구들을 만찬에 초대해 그들과 함께 즐거운 시간을 보내곤 했다. 친구들은 대부분 사회적으로 명성이 있는 사람들로 모두 이 모임을 좋아했다.

저녁 만찬이 끝나고 초대된 손님들이 모두 돌아간 뒤에도 어터슨은 홀로 지킬 박사의 저택에 남았다. 지킬 박사는 무뚝뚝하면서도 정이 깊은 어터슨과 시간을 보내는 것을 좋아했다.

어터슨을 붙잡아 남아 있도록 한 것은 그 때문이었다. 어터슨과 지킬 박사는 난롯가에 마주 앉았다. 올해 50세가 된 지킬 박사는 몸집이 크고 튼튼한 체격을 가진 사나이로 수염은 전혀 기르지 않고 있어서 하얀 살결이 더욱 고와 보였다.

어터슨 변호사가 먼저 입을 열었다.

"이봐, 지킬. 자네하고 조용히 나누고 싶은 말이 있다네."

어터슨은 지킬 박사의 표정을 살피며 이야기를 꺼냈다.

"지난번에 나에게 맡긴 자네의 유언장 말인데……."

어터슨이 유언장 이야기를 꺼내자, 지킬 박사는 그 화제를 피하고 싶은 듯 슬쩍 말머리를 돌렸다.

"아, 나의 유언장 말인가? 어터슨, 미안하네. 자네에게 그런 유언장을 맡기게 돼서. 게다가 나의 유언장에 대해 자네만큼 신경 써 주는 사람은 없다네. 내 유언장 때문에 가장 괴로움을 당하게 될 사람은 자넬 거야. 아, 괴로움을 당한다고 하니 갑자기 레니언 박사 생각이 나는군. 그 친구는 내 학설 때문에 괴로움을 당하고 있지. 완고한 레니언은 내 학문 연구는 바른 길이 아니라고 말하더군."

레니언 이야기에 어터슨이 양미간을 찡그리자, 지킬 박사가 서둘러 말했다.

"아, 물론 레니언은 훌륭한 학자야. 그렇게 미간을 찌푸리지 말게. 나도 그 점은 인정해. 그리고 난 언제라도 레니언을 만나 서로의 학문에 대해 이야기할 용의가 있어. 하지만, 그가 고집이 센 학자라는 내 생각에는 변함이 없지. 아무튼 내 학문을 두고 레니언이 한 말에 실망했어."

어터슨은 지킬 박사의 말에는 아랑곳하지 않고 지킬 박사의 유언장에 관한 이야기를 계속했다.

"자네 유언장 말이야, 난 그것을 맡을 수가 없네."

"음, 자네는 전부터도 그 이야기를 했었지."

지킬 박사가 말했다.

"그리고 또 한 가지 자네에게 이야기할 것이 있어. 얼마 전에 우연히 하이드라는 사람에 대해 알게 되었네."

어터슨이 이렇게 말하자, 지킬 박사의 얼굴은 눈에 띌 정도로 험상궂게 변했다. 그리고는 거칠게 내뱉었다.

"자네 말은 더 이상 듣고 싶지 않네. 하이드라는 사람에 대한 이야기는 꺼내지 않기로 약속하지 않았나?"

어터슨은 조용히 말했다.

"하지만, 지킬 박사. 내가 들은 하이드에 관한 이야기는 정말 무서운 이야기였어."

"그런 말을 해도 아무 소용 없네. 그리고 어터슨 자네는 내 처지를 몰라."

지킬 박사는 말을 멈추고 잠시 우물쭈물하더니 이야기를 계속했다.

"어터슨, 나는 지금 아무에게도 말 못할 괴로운 상황에 놓여 있다네. 이러지도 저러지도 못할 그런 상황 말이야. 그리고 그 이유를 자네에게 설명한다고 해도 자네는 이해하지 못할 걸세."

"지킬, 난 자네가 어떤 사람인지 아주 잘 알고 있어. 우리는 오랫동안 사귀어온 친구 사이 아닌가? 그러니 마음놓고 말해 보게. 비밀은 꼭 지켜 주겠네. 지금 이런 형편에 무엇을 숨기겠나? 자네가 어려운 상황에 놓여 있다면, 내가 조금이라도 힘이 될 수 있을 거야."

어터슨의 말을 들은 지킬 박사는 조용히 고개를 저었다.

"어터슨, 그렇게 말해 주니 정말 고맙네. 나도 물론 자네를 믿고 있어. 그러나 이 문제는 자네가 생각하는 것과는 아주 다른 걸세. 그렇게 쉽게 이야기할 수 있는 게 아니야. 하지만, 자네가 안심할 수 있게 이 말만은 해 두지. 하이드는 내가 내쫓으려고 하면 언제든지 내쫓을 수 있는 사람이야. 그러니 너무 염려하지 말게나. 그리고 앞으로는 더 이상 하이드 이야기는 꺼내지 말게. 이건 내 개인적인 문제니까."

지킬 박사의 이야기를 조용히 듣고만 있던 어터슨이 말했다.

"알겠네. 자네 말을 믿기로 하지."

이윽고, 어터슨은 자리에서 일어나 돌아갈 준비를 했다.

그러자 지킬 박사가 이야기를 계속했다.

"참, 요 근래에 하이드를 만났다면서? 하이드에게 이야기 들었네. 자네에게 무례하게 굴거나 하지는 않던가? 어터슨, 난 하이드에게 많은 관심을 기울이고 있어. 내 유언장에 적혀 있는 대로, 내가 죽거나 행방 불명되는 일이 생기게 되면, 내 유산을 하이드가 모두 가질 수 있도록 신경 좀 써주게. 부탁하네. 그리고 그가 받은 모든 권리도 인정해 줘. 자네가 그렇게 해 줄 것이라 믿네. 약속해 주겠나?"

지킬 박사의 말에 어터슨은 대답했다.

"지킬, 난 그 사람을 받아들일 수가 없네. 그건 꿈에도 생각해 본 일이 없어. 그러니 내 뜻을 자네도 알아주면 좋겠네."

지킬 박사는 간곡하게 어터슨에게 말했다.

"그를 위해서가 아니야, 어터슨. 나를 위한 일이야. 유언장의 내용대로 실행될 수 있도록 하이드를 도와주게. 부탁하네."

지킬 박사의 이러한 말에 어터슨은 더 이상 할말이 없었다. 단념한 듯 한숨을 내쉬고 난 후, 고개를 끄덕이며 말했다.

"자네가 그렇게 간곡하게 이야기하니 하는 수 없군. 자네의 말대로 하겠네. 약속하지"

살인 사건

1년이 지난 어느 날.

런던 시내에서는 끔찍한 살인 사건이 발생했다. 더욱이 피해자가 런던 시내에서도 신사로 이름난 유명한 사람이었기 때문에, 사람들의 놀라움은 더욱 컸다.

사건은 런던의 템스 강에서 멀지 않은 곳에서 발생했다.

템스 강가의 어떤 집에서 하녀로 일하고 있는 젊은 여인이 밤 11시경 잠을 자기 위해 2층으로 올라갔다. 그 날은 저녁때부터 유난히 짙은 안개가 런던 시내를 뒤덮었다. 그러나 밤 11시경에는 안개가 말끔히 걷혀 거리 위로 달빛이 환하게 쏟아지고 있었다.

젊은 여인은 침대에 눕기 전, 창가에 앉아 거리를 내려다보며 생각에 잠겨 있었다. 그 때, 멋진 신사 한 명이 좁은 골목길로 들어서는 것이 보였다. 흰머리에 풍채가 좋은 노신사였다.

또 한 사람의 사나이가 골목 반대쪽에서 걸어오는 것이 보였다. 몸집이 매우 작은 사나이였다.

두 사람의 거리는 서로 마주 보고 이야기를 나눌 수 있을 만큼 좁혀졌다. 멋진 신사가 먼저 몸집이 작은 사나이에게 인사를 하며 공손하게 말을 걸었다.

여인은 무슨 이야기인지 알아들을 수는 없었지만, 노신사가 손가락으로 어느 방향을 가리키며 말을 건네는 것으로 보아 길을 묻고 있는 것이라 생각했다.

밤하늘의 달빛이 이 두 사람을 비추고 있었다. 노신사는 고상하고 부드러우며, 위엄이 있어 보이는 훌륭한 용모였다. 젊은 여인은 넋을 잃고 노신사를 바라보고 있었다. 이윽고 젊은 여인은 몸집이 작은 사나이에게로 눈길을 돌렸다.

젊은 여인은 곧 그 사나이가 하이드라는 것을 알아보았다. 하이드는 여인이 일하고 있는 집을 찾아온 적이 있었기 때문에, 그녀는 하이드의 얼굴을 기억하고 있었다. 여인은 하이드의 얼굴이 너무나 불쾌하고, 알수 없는 공포감을 불러일으켜서 자기도 모르게 하이드로부터 고개를 돌렸던 기억이 되살아났다.

신사가 말하는 동안에 하이드는 손에 든 단단한 지팡이를 만지작거렸다. 하이드는 한 마디 대꾸도 하지 않고 그저 듣기 싫은 이야기를 억지로 듣고 있는 듯한 얼굴 표정을 하고 있었다.

그러다가 갑자기 하이드가 버럭 화를 내고 지팡이를 휘두르며 발을 굴렀다. 노신사는 깜짝 놀라 어쩔 줄을 모르고 있었다. 하이드는 당황한 노신사의 모습에도 아랑곳하지 않고 소리를 지르며 지팡이로 노신사를 때려눕혔다. 그리고는 마치 성난 원숭이처럼 땅에 쓰러진 노신사를 발로 짓밟고, 지팡이로 마구 때렸다. 노신사는 외마디 비명을 지른 후, 전혀 움직이지 않았다. 하이드는 노신사를 찻길에 내동댕이친 채 골목에서 유유히 사라졌다.

이 모습을 처음부터 끝까지 지켜봤던 젊은 여인은 너무 놀라 그 자리에서 기절을 하고 말았다. 그녀가 정신을 차리고 경찰을 불렀을 때, 이미 범인은 자취를 감춘 지 오래였다.

사건이 일어난 현장에는 목숨을 잃은 노신사가 그대로 길바닥에 쓰러져 있고, 그 옆에는 범인이 사용한 지팡이가 있었다.

두 동강 난 지팡이 중 반 토막은 범인이 가지고 간 듯 눈에 띄지 않았다.

지갑과 금으로 만든 회중 시계와 우표가 붙은 편지 한 통이 신사의 몸에서 나왔다. 편지에는 '어터슨 변호사 앞'이라고만 쓰여 있었다.

경찰관은 다음 날 아침, 어터슨 변호사를 찾아가 그에게 편지를 전해 주었다. 편지를 다 읽고 난 후, 경관으로부터 어젯밤에 일어났던 살인 사건 이야기를 들은 어터슨의 얼굴은 굳어졌다. 어터슨이 말했다.

"피해자에 관해 섣불리 이야기하기가 힘들군요. 시체를 확인할 때까지는 아무 말도 할 수가 없습니다. 매우 심각한 사건이 될 수도 있을 테니까요. 옷을 좀 갈아입고 오겠습니다. 여기서 잠시만 기다려 주세요."

서둘러 외출 준비를 끝낸 어터슨은 기다리고 있던 경관과 함께 노신사의 시체를 확인하기 위해 경찰서로 갔다. 노신사의 시체는 이미 경찰서로 옮겨져 있었다.

시체를 본 어터슨은 천천히 고개를 끄덕이며 말했다.

"아는 사람입니다. 안타깝게도 이분은 댄버즈 카루 경입니다."

"네? 댄버즈 카루 경이라고요?"

어터슨의 말에 경관은 깜짝 놀라 큰 소리로 외쳤다. 그리고 곧 어터슨에게 물었다.

"정말 커다란 사건이 되겠군요. 댄버즈 카루 경이라면 런던 시내에서도 신사 중의 신사로 유명하신 분인데 말입니다. 어터슨 변호사께서는 물론 범인을 체포하는 데 협력해 주시겠지요?"

경관은 부러진 지팡이도 어터슨에게 보여 주었다. 그리고 젊은 여인이 목격한 사건을 간단하게 설명하였다.

경관에게서 하이드라는 이름을 듣자, 어터슨은 온몸이 오싹해졌다. 게다가 그 지팡이는 자신이 몇 년 전에 친구인 지킬 박사에게 선물한 것임을 알자 더욱 소름이 끼쳤다.

지팡이를 내려다보던 어터슨은 이윽고 경찰에게 사건 해결에 협조하겠다고 대답했다.

"경관님, 제 마차로 함께 가시지 않겠습니까? 하이드 씨의 집을 알려 드리겠습니다."

그들이 경찰서를 나왔을 때는 벌써 9시가 훨씬 넘은 뒤였다. 런던 거리에는 온통 짙은 안개가 깔려 있었다. 하늘은 잿빛으로 흐려져 있어, 마치 저물녘처럼 어두웠다. 안개 때문에 그들이 탄 마차는 기어가듯 느릿느릿 달렸다.

잠시 후, 소호 거리로 접어든 마차는 어느 집 앞에 멈추어 섰다. 소호 거리는 싸구려 술집, 음식점, 헌 책방들이 즐비하게 늘어서 있는 곳으로 언제나 혼잡하고 지저분했다. 이런 거리에 25만 파운드나 되는 어마어마한 금액을 상속받게 될 하이드가 살고 있는 것이다.

현관문을 두드리자 주름투성이 할머니가 문을 열었다.

"여기가 하이드 씨 댁입니까?"

경관의 질문에 할머니가 대답했다.

"네, 그렇습니다. 하지만 하이드 씨는 지금 집에 안 계세요. 어젯밤에 늦게 들어오셨는데, 1시간쯤 후에 또 나가셨습니다. 그분은 집에 계시는 일이 별로 없답니다. 어제도 거의 두 달 만에 들어오셨으니까요."

"알겠습니다. 하이드 씨의 방을 좀 보고 싶은데요, 어느 방인가요?"

어터슨의 말에 노파는 안 된다고 한 마디로 거절했다.

"괜찮습니다, 할머니. 이분은 런던 경시청의 뉴커먼 경관입니다."

순간, 노파의 얼굴에 당황하는 빛이 떠올랐다.

"런던 경시청의 경관이라고요? 경찰이 하이드 씨를 찾다니……. 그분에게 무슨 일이 생겼나요? 무슨 일이지요?"

노파는 어쩔 줄을 모르고 어터슨과 경관을 하이드가 사용하는 방으로 안내했다.

집 안은 마치 노파 혼자 사는 집 같았다.

하이드가 사용하고 있는 듯한 두 개의 방에는 사치스러운 가구들로 꾸며져 있었다. 바닥에 깔려 있는 양탄자도 아주 훌륭하고 값비싼 것이었다. 찬장에는 포도주병들이 보기 좋게 진열되어 있었고, 그릇들은 모두 은으로 만든 것들이었다. 그리고 벽에는 훌륭한 그림이 걸려 있었다.

어터슨은 그림을 보며 아마 지킬 박사에게서 받은 선물일 거라고 생각했다.

방 안은 무엇인가를 급히 찾느라 허우적댄 것처럼 어지럽혀져 있었다.

자물쇠가 달린 서랍은 열린 채였고, 옷도 방바닥에 내팽개쳐져 있었는데, 주머니가 뒤집혀져 밖으로 나와 있었다. 난로에는 종이를 태웠는지 재가 소복이 쌓여 있었다. 난로를 뒤적이던 경관은 그 잿더미 속에서 타다 남은 초록색의 수표책을 발견했다.

그리고 살인 현장에서 발견되었던 지팡이의 나머지 반 쪽을 문 뒤에서 찾아냈다. 하이드가 범인이라는 사실은 더욱 확실해졌다.

경관과 어터슨은 하이드의 집을 나와 곧바로 은행으로 갔다.

은행에서 그들은 수천 파운드의 금액이 하이드 앞으로 예금되어 있다는 사실을 알아냈다. 뉴커먼 경관은 이제 사건은 다 해결되었다는 듯이 이렇게 말했다.

"어터슨 씨, 범인은 다 잡힌 것이나 마찬가지입니다. 하이드 씨가 지

팡이를 미처 치우지 않은 것을 보면, 무척 당황한 것이 아닌가 싶군요. 또 수표책을 태우려고 한 것만 보아도 알 수 있어요. 지금 같은 상황에서는 하이드 씨에게 무엇보다도 돈이 필요할 텐데 말입니다. 아무튼, 이제는 그자가 은행에 나타나서 돈을 찾는 현장만 덮치면 됩니다. 아, 깜빡할 뻔했습니다. 어서 런던 시내에 범인의 지명 수배서를 돌려야겠군요."

그러나 사건이 쉽게 해결되리라 생각했던 어터슨과 경관은 지명 수배서를 만드는 일에서부터 벽에 부딪히고 말았다. 하이드와 가까이 지낸 사람이 거의 없었기 때문에 하이드에 대한 인상과 특징 등을 적을 수 없었기 때문이다.

가정부 노파도 하이드를 겨우 두 번밖에 보지 못했다고 말했다. 게다가 하이드에게는 가족도 없는 것 같았다.

하이드를 봤다는 몇몇 사람들의 이야기를 통해 사진 한 장 없는 하이드의 인상을 적으려고 했지만, 그들의 이야기도 서로 제각각 달랐다.

유일하게, 사람들이 말하는 하이드의 인상 중 일치하는 것은 그의 인상이 어딘지 모르게 소름이 돋게 하는 흉측한 모습이라는 것이었다. 그러나 아무도 그 이유를 분명하게 말하는 사람은 없었다.

하이드의 편지

어터슨은 그 날 오후 늦게 지킬 박사의 집을 방문했다.

그는 곧 폴의 안내로 부엌 옆에 있는 실험실 건물로 들어갔다.

그 곳은 지킬 박사가 오래 전에 어느 유명한 외과 의사로부터 사들인 것이었다. 지킬 박사는 화학을 좋아해서 뜰 안에 있는 이 건물을 곧 실험실로 바꾸어 버렸다.

어터슨은 한 번도 실험실에 가 본 적이 없었다. 지킬 박사에게 배우기 위해 예전에는 많은 학생들이 몰려들었던 교실이기도 했지만, 이제는 음산해진 건물을 빙 둘러보며 어터슨은 건물 안으로 들어갔다.

그 곳은 화학 기구가 담겨진 나무 상자들이 곳곳에 어지럽게 널려 있었다. 둥근 지붕으로부터 교실 안으로 희미한 광선이 비쳐들고 있었다. 책상 위에도 여러 가지 화학 실험 기구가 여기저기 놓여 있었고, 바닥에는 나무 상자들과 짐을 묶을 때 쓰는 끈들이 흩어져 있었다. 조용히 계단을 올라가자 빨간색 천으로 덮인 문이 나왔다.

문을 열고 방 안으로 들어서자, 여러 가지 가구들이 눈에 띄었다. 넓은 방의 주위에는 유리로 된 진열장이 놓여 있었고, 온몸이 비치는 커다란 거울과 사무용의 책상이 자리잡고 있었다.

방 안에 있는 세 개의 창문은 모두 길을 향해 활짝 열려져 있었다. 난로에는 불이 타오르고 있었고, 낮 시간임에도 불구하고 난로 위 선반에는 등불이 놓여 있었다. 안개 때문에 햇빛이 비치지 않아 방 안은 어두워 보였다.

지킬 박사는 난로 곁에 앉아 있었다. 뜻밖에 찾아온 친구 어터슨을 보고도 일어나려 하지 않은 채 차가운 손을 내밀며 인사했다.

폴 영감이 나가 버리자, 어터슨은 곧 이야기를 꺼냈다.

"지킬 박사, 자네도 이야기 들었겠지?"

지킬 박사는 무언지 모를 괴로운 표정을 지었다.

"식당에 앉아 있다가 신문 파는 소년들이 외치는 소리를 듣기는 했네."

"어제 살해된 카루 경은 나의 고객이었네. 물론 자네도 내 고객이긴 하지. 그래서 말인데, 난 이제 내 입장을 분명히 해 두어야겠어. 설마 자네가 하이드를 숨겨 주고 있는 것은 아니겠지?"

지킬 박사는 외치듯이 대답했다.

"어터슨, 절대 그런 일은 없네. 신께 맹세할 수 있어. 난 두 번 다시 그 사나이와는 만나지 않을 생각이네. 인연을 끊겠어. 내 명예를 걸고 약속하지."

어터슨은 착잡한 심정으로 지킬 박사의 이야기를 듣고 있었다. 지나치게 열을 내는 듯한 지킬의 태도가 오히려 어터슨의 마음에 의구심만을 불러일으켰다.

"확고하게 마음을 결정한 모양이군. 그건 자네를 위해서뿐만 아니라, 의뢰를 받은 내 입장에서도 환영할 만한 반가운 일이지. 그렇지만, 하이드에 대한 재판을 하게 되면 어쩔 수 없이 자네 이름이 나오게 될 거야."

"그건 염려하지 말게나, 어터슨. 누구에게도 함부로 말할 수는 없지만, 내게 뚜렷한 증거가 있어. 오늘 아침에 어떤 편지 한 통을 받았네. 그 편지를 경시청에 보낼까말까 망설이고 있던 중이었는데, 자네에게 조언을 구하면 되겠구만. 어터슨, 자네 같으면 이 편지를 어떻게 하겠나?"

어터슨이 말했다.

"자네, 그 편지 때문에 하이드와의 관계가 탄로날까 봐 두려워하고 있군 그래."

지킬 박사는 정색을 하며 대답했다.

"아니야, 그런 말 말게. 난 하이드가 어떻게 되든 상관없어. 그자와의 인연은 이제 끊었으니까. 내가 걱정하고 있는 건 나 자신의 사회적 지위와 명성일 뿐이야. 하이드 때문에 내 명성에 금이 갈 것만 같아 염려스럽거든."

지킬 박사의 말을 들은 어터슨은 속으로 깜짝 놀랐다. 지킬의 이기적인 모습을 보게 됐기 때문이었다.

어터슨은 아까 지킬 박사가 말한 편지가 생각나 입을 열었다.

"지킬, 자네가 말했던 그 편지 좀 보여 줄 수 있겠나?"

어터슨은 지킬 박사가 건네주는 편지를 펼쳤다. 그 편지는 우스꽝스러울 정도로 반듯반듯하게 쓰여 있었다. 그리고 끝에 '하이드'라는 사인이 되어 있었다.

여러 가지로 많은 도움을 주신 지킬 박사님.

제 염려는 하지 않으셔도 됩니다. 저는 지금 안전한 곳에 피해 있습니다.

하이드

편지를 읽고 난 어터슨은 조금 마음이 놓였다. 이제껏 하이드와 지킬 박사가 서로 관련이 있을 것이라고 생각했었는데, 편지의 내용으로 보아 지킬 박사를 의심할 만한 일은 없는 것 같았다.

어터슨은 지킬 박사에게 다시 물었다.

"편지 봉투도 좀 보여 주겠나?"

지킬 박사는 대답했다.

"별생각 없이 태워 버렸네. 하지만 우체국을 통해서 온 편지는 아니라네. 누군가가 직접 현관 앞에 두고 간 모양이야."

"지킬, 이 편지는 내가 가지고 가겠네. 좀더 깊이 생각할 게 있어서 말이야."

"그렇게 하게, 어터슨. 그리고 이 편지를 어떻게 하면 좋을지 결정해 주게. 난 판단을 내리기가 쉽지 않군."

"그렇게 하도록 하지. 그런데 한 가지 묻고 싶은 게 있어. 혹시, 자네 유언장 내용 중에 행방 불명에 관한 문구는 하이드의 뜻에 따라 쓴 것인가?"

어터슨의 이 질문에 지킬 박사는 잠시 우물쭈물하더니, 이윽고 고개를 끄덕였다.

어터슨은 입을 열었다.

"역시 내 추측이 들어맞았어. 하이드는 분명히 자네를 죽일 생각이었던 거야. 그래야 유산을 조금이라도 빨리 상속받을 수 있을 테니까. 자네는 위험한 고비를 넘긴 셈이군. 그럼, 난 이만 가 보겠네."

어터슨은 지킬 박사의 실험실을 나왔다. 현관에서 폴과 마주친 어터슨은 폴에게 편지에 관해 물었다.

"폴, 아침에 편지를 가지고 온 사람 보았나?"

"편지요? 무슨 편지를 말씀하시는 건가요? 오늘 아침에는 안내장이 하나 왔을 뿐인데요?"

폴의 대답에 어터슨은 다시 의구심이 일어났다.

'그렇다면 이 편지는 실험실 문을 통해 전달된 것이군. 어쩌면 그 방에서 쓰여진 편지일지도 모르지. 좀더 시간을 두고 생각해 봐야겠는데.'

"호외요! 호외! 댄버즈 카루 경이 어젯밤에 살해되었습니다."

길에서는 신문을 파는 사람들이 목이 쉬도록 호외를 외치고 있었다.

어터슨에게는 그 소리가 두 가지 의미를 가지게 되었다. 하나는 댄버즈 카루라는 한 친구의 죽음을 알리는 소리, 그리고 또 하나는 헨리 지킬의 불행을 예고하는 소리였다.

어터슨은 머릿속이 혼란스러웠다. 이 어려운 문제를 어떻게 해결해야 할지 판단이 서지 않았다. 지금까지 모든 일을 혼자 해결했던 어터슨이었지만, 이번에는 누군가의 도움을 받기로 했다.

사무실로 돌아온 어터슨은 곧 서기인 게스트를 불렀다.

두 사람은 난로 곁에 마주 앉았다. 게스트는 어터슨이 가장 신뢰하는 사람 가운데 하나였다. 그래서 다른 사람에게는 쉽게 말할 수 없는 비밀을 게스트에게 털어놓기도 했다. 그리고 게스트는 종종 지킬 박사의 저택에도 찾아간 일이 있기 때문에 폴 영감을 잘 알고 있기도 했다.

'어쩌면 게스트는 하이드가 지킬 박사 집에 드나들고 있는 것을 알고 있을 거야. 이 편지를 보고 무슨 좋은 의견을 생각해 낼지도 몰라.'

어터슨은 조심스럽게 입을 열었다.

"게스트 군, 댄버즈 카루 경 사건에 관한 얘긴데……."

"아, 댄버즈 카루 경 사건은 정말 안타깝습니다. 훌륭한 신사 분이 그렇게 어이없게 살해되시다니……. 다른 사람들도 몹시 충격을 받은 모양이에요. 범인은 아무래도 제정신이 아닌 사람 같다는 생각이 드는군요."

게스트의 말을 조용히 듣고 있던 어터슨이 말했다.

"그 사건에 관해 자네 의견을 듣고 싶네. 게스트, 먼저 이 이야기는 우리 둘만 아는 비밀로 해주게. 사실은 오늘 지킬 박사의 저택에 갔다가 범인이 쓴 편지를 발견했네. 이 편지를 어떻게 다루어야 할지 고민 중이야. 아무튼 이 편지를 보고 범인의 필적을 좀 감정해 주게, 게스트. 자네는 필적 감정에는 일가견이 있지 않나?"

게스트는 어터슨이 내민 편지를 받아들고 찬찬히 훑어보았다. 그리고는 의아하다는 듯이 말했다.

"이상한 필적이군요. 하지만, 미친 사람이 쓴 글씨는 아닌 것 같아요."

"음, 그렇군. 내가 봐도 무언가 이상한 느낌을 주는 편지야."

어터슨이 이렇게 말했을 때, 하인이 편지 한 통을 가지고 들어왔다.

"지킬 박사님에게서 편지가 왔습니다."

하인에게서 편지를 건네받은 어터슨이 편지를 뜯어서 읽어 내려갔다. 그 모습을 보고 있던 게스트가 물었다.

"뭐 새로운 이야기라도 쓰여 있습니까?"

"아니, 그저 파티 초대장이야. 자네도 읽어보겠나?"

게스트는 지킬 박사로부터 온 초대장을 읽어 나갔다. 그리고는 어터슨에게서 건네받은 편지와 함께 두 장을 나란히 놓고 편지지에 쓰여진 글자를 자세히 살피기 시작했다.

잠시 후, 두 장의 편지를 어터슨에게 돌려주며 말했다.

"이상하군요. 두 편지의 필적은 같은 사람의 것입니다. 글자 끝의 모양만 조금 다르게 해서 서로 다른 글씨체처럼 보이게 한 것일 뿐이에요."

지킬 박사의 초대장과 하이드로부터 온 편지의 글씨가 같은 사람의 것이라는 말을 들은 어터슨은 당황스러웠다.

"게스트 군, 이 편지에 대해서는 다른 누구에게도 이야기하지 말게. 약속할 수 있겠나?"

"네, 잘 알겠습니다."

게스트가 나가고 혼자 남게 된 어터슨은 하이드의 편지를 금고 안에 깊숙이 넣어 버렸다.

'헨리 지킬이 살인범을 위해 가짜 편지를 썼다는 말인가?'

갑자기 어터슨은 머리가 쭈뼛해지고 온몸에 소름이 끼치는 듯한 느낌이 들었다.

레니언 박사의 죽음

댄버즈 카루 경 사건은 쉽게 해결될 기미가 보이지 않았다. 살인범 하이드에게는 몇천 파운드의 현상금이 걸렸다. 그만큼 세상 사람들은 이번 댄버즈 카루 경 사건에 흥분해 있었던 것이다.

런던 경시청은 온 영국 안을 샅샅이 뒤졌지만, 하이드의 행방은 끝내 찾을 수 없었다. 마치 처음부터 하이드라는 사람은 없었던 것 같았다.

사건이 일어났던 날 아침, 소호 거리의 집을 나선 이후로 하이드의 모습은 이 세상에서 영원히 사라지고 말았다.

몇 달이 지나자, 어터슨의 마음도 조금씩 편안해졌다.

하이드와 인연을 끊기로 한 이후, 지킬 박사도 예전의 모습을 되찾았다.

지금까지의 은둔 생활에서 벗어나 친구들과 활발하게 교제하며 명랑하게 생활했다. 그는 친구들을 집으로 초대해 저녁을 함께 하기도 하고,

친구들의 초대 또한 기꺼이 받아들였다. 자선가로도 유명했던 지킬은 다시 어려운 사람들을 위해 봉사하는 일로 매우 바빴다. 남에게 봉사하는 즐거움을 마음속 깊이 느끼게 된 지킬 박사의 얼굴에는 언제나 따뜻한 기운이 감돌았다.

사건이 있은 후로 2개월 정도 지킬 박사에게는 그렇게 평온한 날들이 계속되었다.

1월 8일, 어터슨은 지킬 박사의 파티에 초대받았다. 그들의 오랜 친구인 레니언 박사도 자리를 함께 했다. 오랜만에 이들 세 친구는 옛날처럼 즐겁게 이야기를 나누며 웃음꽃을 피웠다.

파티가 있은 날로부터 나흘 정도가 지난 어느 날, 지킬 박사의 집을 찾았던 어터슨은 박사를 만나지 못한 채 집으로 다시 돌아와야만 했다.

지킬 박사의 집사인 폴은 어터슨에게 이렇게 말했다.

"박사님은 방에 틀어박힌 채, 아무도 만나지 않겠다고 하셨어요."

어터슨은 지킬 박사의 상태가 걱정스러워 다음 날에도 박사의 집을 찾아갔지만, 그 날도 지킬 박사는 아무도 만나려고 하지 않았다. 어터슨과 매일 만나며 즐거운 시간을 가졌던 지킬 박사가 또다시 집 안에 틀어박히고 만 것이다. 참다못한 어터슨은 레니언 박사를 찾아갔다.

어터슨은 깜짝 놀랐다. 며칠 사이에 레니언 박사는 완전히 다른 사람으로 변해 있었던 것이다. 붉게 혈색이 돌았던 얼굴은 몹시 창백해 보였고, 그 사이 머리카락도 많이 빠져서 대머리가 되어 있었다. 게다가 체중은 그 전의 반 정도로밖에 보이지 않을 정도로 여위어 있었다.

그러나 이렇게 여윈 겉모습보다 더욱 어터슨을 당혹스럽게 한 것은 레니언 박사의 눈매와 태도였다. 언제나 당당하던 모습은 모두 사라지고, 무엇인가 두려워하고, 초조해하는 듯했다.

'레니언 박사에게 무슨 일이 일어난 거지? 얼마 안 있으면 꼭 죽을

사람 같아.'

어터슨은 마음속으로 생각하면서 레니언에게 말을 건넸다.

"레니언, 자네 안색이 몹시 좋지 않아 보이는군."

"난 이제 얼마 못 살 거야. 내가 받은 충격이 너무 심해서 좀처럼 나을 것 같지 않아. 하지만 어터슨, 난 내 인생을 즐기는 편이었다네. 유쾌한 인생이었지. 난 가끔 이런 생각을 해 본 적도 있어. 사람이 자신의 미래를 알고 살아간다면 얼마나 재미 없을까라는 생각을 말일세. 지금도 그 생각에는 변함이 없지."

어터슨은 레니언 박사의 이러한 태도에 무척 당황했다.

"지킬도 병이 난 모양이야. 도무지 문 밖으로 나오려고 하지를 않더군. 자네 지킬을 만나본 적 있나?"

어터슨이 말머리를 돌리기 위해 지킬 이야기를 꺼냈을 때, 갑자기 레니언의 얼굴빛이 파랗게 질리고, 온몸을 부들부들 떨기 시작했다.

"지킬 이름은 내 앞에서 꺼내지도 말게. 보기도 싫어. 지킬 이야기라면 듣고 싶지 않아."

겁먹은 목소리로 레니언 박사는 내뱉었다.

"나는 이제 그자와는 연락을 끊었네. 다시는 지킬을 보고 싶지 않아."

"레니언, 무슨 일인가? 지킬과 무슨 일이 있었길래……. 내가 도울 수 있는 일이라면 기꺼이 자네들에게 힘이 되어 주겠네. 여보게 레니언, 우리는 오랫동안 사귀어온 친구 사이 아닌가?"

"나로서는 어떻게 할 도리가 없네. 그 문제는 자네가 직접 지킬에게 물어 보는 게 좋을 거야."

레니언의 말에 어터슨은 힘없이 말했다.

"지킬을 만날 수가 없어. 갑자기 아무도 만나주지 않으려고 하니……."

"그럴 거야. 그러나 어터슨, 내가 죽으면 누가 옳고 그른지를 자네라

면 알 수 있을 것이라 믿네. 하지만 지금은 이 말밖에는 할 수가 없네. 아무튼 이 이야기는 그만 하지. 이제 돌아가 주게. 정말 견딜 수가 없어."

어터슨은 레니언의 집을 나와 자신의 사무실로 돌아왔다.

집으로 돌아온 어터슨은 지킬에게 어째서 만나주지 않는 것인지, 그리고 무엇 때문에 레니언과 절교를 하게 되었는지에 관한 이유를 묻는 편지를 보냈다.

다음 날, 지킬에게서 답장이 왔다. 의미를 알 수 없는 부분도 곳곳에 있었지만, 무엇보다 레니언과 서로 화해할 수 없는 것만은 사실인 것 같았다.

나의 친구 레니언을 원망하지는 않겠네. 그러나 다시는 만나고 싶지 않다는 레니언의 말에는 나 역시 동감이네. 그리고 앞으로는 되도록 사람들과 만나지 않을 생각이라네. 하지만 내가 자네를 만나지 않는다고 해도 자네에 대한 내 우정은 변함이 없다는 것을 알아주게.

나는 말할 수 없는 커다란 범죄를 저지르고 말았어. 게다가 너무나도 큰 고통에 시달리고 있지. 세상에 이렇게 무서운 고통과 공포가 있으리라고는 생각해 보지 않았다네.

어터슨, 나의 이 고통을 조금이라도 덜어주기를 원한다면, 단지 나의 침묵을 존중해 줄 것을 부탁하네.

헨리 지킬

지킬 박사의 편지를 다 읽은 어터슨은 점점 혼란스러워졌다. 일이 어떻게 진행되고 있는지조차 전혀 알아차릴 수가 없었다.

하이드가 사라지자, 지킬 박사는 옛날처럼 친구들과도 만나고 어려운 이웃들을 위해 봉사일도 하면서 밝은 생활로 되돌아왔다. 불과 일주일 전까지만 해도 헨리 지킬의 생활은 평화롭고 즐거워 보였다. 그런데 갑자기 사태가 뒤죽박죽이 되어 버린 것이다. 어터슨은 무엇인가 무섭고 불길한 어떤 일이 밀려오는 것을 느꼈다.

레니언의 태도나 말하는 것으로 미루어 보면 어떤 말 못할 이유가 있는 것 같았다.

그로부터 일 주일 뒤, 놀랍게도 레니언은 그만 자리에 눕고 말았다. 급기야 이 주일도 채 지나지 않아 세상을 뜨고 말았다.

레니언의 장례식을 치른 그날 밤, 어터슨은 자신의 사무실에서 죽은 레니언이 남기고 간 편지를 꺼내 읽었다.

편지의 겉봉투에는 이렇게 쓰여 있었다.

어터슨 이 외의 누구에게도 이 편지를 보여주지 말 것.
만일 어터슨이 불의의 사고로 나 레니언보다 먼저 사망할 시에는 읽지 말고 곧바로 태워 버릴 것.

어터슨은 두려운 마음으로 편지의 봉투를 뜯었다. 그 안에는 또 하나의 편지가 들어 있었다. 그 봉투 역시 굳게 봉해져 있었다. 그리고 다음과 같이 적혀 있었다.

헨리 지킬 박사가 죽거나 혹은 행방 불명 상태가 되기 전에는 절대 열어 보지 말 것.

어터슨은 다시 한 번 봉투에 적혀 있는 내용을 읽어보았다. 분명히 '행방 불명'이라는 단어가 적혀 있었다.

지킬 박사의 유언장에도 그 '행방 불명'이라는 단어가 적혀 있었던 것이다. 그 유언장은 하이드의 협박을 받아 지킬 박사가 쓴 것이긴 했지만, 레니언까지 '행방 불명'이라는 단어를 쓴 것이 아무래도 이상했다.

어터슨은 당장 그 편지의 내용을 읽어보고 싶었다.

그러나 자기를 믿고 편지를 맡긴 레니언의 의리를 생각하니 함부로 열어 볼 수가 없었다. 어쩔 수 없이 어터슨은 그 편지를 사무실 금고 속에 깊숙이 넣어두고 보관하기로 했다.

그 날부터 어터슨은 지킬 박사에 대한 궁금증이 더욱 커졌다. 그래서 전보다 더욱 자주 지킬 박사의 저택을 찾아갔다. 지킬 박사는 여전히 아무하고도 만나려고 하지 않았다. 어터슨은 하는 수 없이 현관 입구에서 폴 영감을 통해 지킬 박사의 소식을 전해 듣고는 했다.

폴이 전하는 요즈음 지킬 박사의 상태는 반가울 만한 것이 별로 없었다. 이제는 실험실에 딸려 있는 방에 틀어박힌 채, 잠도 그 곳에서 자고, 식사도 그 곳에서 한다고 했다. 뿐만 아니라 집안의 하인들과도 거의 말을 하지 않고, 독서도 하지 않는 것 같다고 했다. 그리고는 언제나 초조한 듯이 방 안을 왔다갔다할 뿐이라는 것이었다.

폴에게 몇 차례 이런 이야기만 들은 어터슨은 결국 지킬 박사의 집에는 더 이상 찾아가지 않게 되었다.

실험실에 있는 사나이

어느 일요일, 어터슨은 여느 때와 마찬가지로 엔필드와 함께 산책을 하다가 그 괴상한 문이 있는 골목길에 들어서게 되었다.

그 집의 뒤뜰 입구 앞에까지 오자 두 사람은 걸음을 멈추고 가만히 그 문을 바라보았다.

엔필드가 먼저 입을 열어 어터슨에게 말했다.

"아무튼 그 댄버즈 카루 경 사건은 거의 끝이 난 셈이군. 이제는 하이드라는 사나이를 두 번 다시 볼 수 없겠지?"

"그렇게 되면 얼마나 좋겠나? 내가 언젠가 하이드라는 사나이를 만난 적이 있다고 이야기했던가? 그자의 인상은 자네가 나한테 이야기한 것과 비슷하더군. 정말 뭐라 말할 수 없이 불쾌한 느낌을 주는 얼굴이었어."

"누구든지 그 사나이를 보면 그런 느낌이 들 거야. 그런데 어터슨, 이 문이 지킬 박사 저택의 뒷문이라는 것을 알고 있었나? 나도 그걸 얼마 전에야 알았다네."

"자네도 알아차렸군. 그렇다면 이 골목으로 들어가 저기 있는 창문 너머로 지킬을 좀 볼 수 있지 않을까? 난 요즈음 지킬이 너무 걱정이 되거든……."

골목은 선선한데다 축축한 기운까지 있어서 몹시 을씨년스러웠다. 하늘은 어느 새 저녁놀로 붉게 물들고, 골목에는 벌써 황혼이 깔리기 시작했다.

두 사람은 곧 지킬 박사의 저택으로 갔다. 집에는 세 개의 창문이 나 있었다.

그 중에 가운데 창문이 반쯤 열려 있었는데, 창가에 다가앉아 있는 지킬 박사의 모습이 보였다. 지킬 박사는 마치 죄수 같은 처량한 모습으로 하늘을 쳐다보고 있었다.

지킬 박사를 보자 어터슨은 반가운 마음에 소리를 질렀다.

"이봐, 지킬. 어떻게 된 건가? 잘 지내고 있는가? 요즘 건강은 좀 어때?"

지킬 박사는 어터슨을 보고 쓸쓸하게 웃어 보이며 말했다.

"걱정해 줘서 고맙네, 어터슨. 그런데 영 차도가 없구만. 난 아무래도 오래 가지 못할 것 같아."

"너무 집에만 틀어박혀 있어서 그런 거야, 지킬. 밖으로 나와서 우리와 함께 산책을 좀 하지 않겠나? 참, 내 옆에 있는 이 친구는 내 사촌 엔필드 군이라네."

어터슨은 지킬 박사에게 엔필드를 소개했다.

지킬 박사는 엔필드를 향해 가볍게 고개를 숙이며 인사를 하고 나서 말했다.

"고맙군, 정말 고마워, 어터슨. 나도 자네와 함께 산책을 하고 싶지

만, 안 돼. 그렇게 할 수가 없어. 하지만 어터슨, 이렇게 오랜만에 자네를 만나게 돼서 정말 반갑네."

"그러면 이렇게 하는 게 어떨까?"

어터슨은 한숨을 짓는 지킬 박사를 위해 명랑하게 말했다.

"우리는 여기 이렇게 서서 이야기할 테니까, 자네는 그 자리에서 우리와 함께 이야기하세."

"그거 좋은 생각이군."

쓸쓸한 미소를 지으며 지킬 박사는 창 아래에 서 있는 어터슨을 내려다보았다. 그 때, 박사의 얼굴에서 미소가 사라지는가 싶더니, 이윽고 공포와 절망의 빛이 떠올랐다.

창을 올려다보고 있던 어터슨과 엔필드는 갑자기 변하는 박사의 표정을 보고 그만 넋을 잃고 말았다. 순간, 지킬 박사는 부리나케 창문을 닫아 버렸다.

두 사람은 골목을 빠져 나오는 동안 서로 한 마디 말도 하지 않았다. 사람이 많이 다니는 큰 거리로 나오자 그 때서야 어터슨이 엔필드를 돌아보았다. 엔필드의 얼굴은 새파랗게 질려 있었다. 그러나 어터슨의 얼굴도 새파랗게 질려 있기는 마찬가지였다. 그들의 두 눈에는 두려움의 빛이 뚜렷했다.

"하느님, 불쌍한 지킬을 도와주시옵소서. 아, 대체 이 일을 어떻게 수습해야 될까?"

어터슨은 절망적인 표정으로 중얼거렸다.

그 일이 일어난 뒤 얼마 지나지 않은 어느 날 밤, 어터슨은 이제 막 저녁식사를 마치고 난롯가에 앉으려고 할 때였다. 지킬 박사의 집사인 폴이 어터슨의 집을 찾아왔다.

어터슨은 자리에 앉은 채 폴을 올려다보며 말했다.

"폴, 웬일인가? 자네가 나를 다 찾아오고……. 정말 뜻밖인걸! 대체 무슨 일인가?"

그러나 폴은 떨리는 목소리로 조심스럽게 말했다.

"어터슨 씨, 아무래도 저희 주인님의 상태가 심상치 않습니다."

어터슨은 얼굴을 찡그리며 폴에게 포도주를 한 잔 건넸다. 그리고 난롯가의 의자를 권했다.

"어터슨 변호사님은 박사님이 실험실에만 틀어박혀 있는 것을 잘 알고 계시죠? 전 박사님이 실험실에 계신 것이 싫습니다. 뭔가 불길하고, 무섭기까지 하거든요. 지난 일주일 동안, 저는 너무 두려워서 견딜 수가 없었습니다. 이제는 더 이상 참을 수가 없어요."

폴의 얼굴에는 정말 무서워서 견딜 수가 없는 듯한 기색이 역력했다. 그는 어터슨이 내민 포도주에는 입도 대지 않은 채 고개를 푹 수그리고 앉아 있었다.

"무슨 일인지 자세히 이야기해 보게. 뭔가 큰일이 벌어진 것 같은데, 그게 무슨 일인가? 내가 해결할 수 있는 일이라면 도와주겠네, 폴."

"아무래도 실험실 안에서 살인 사건이 벌어진 것 같습니다."

폴이 쉰 듯한 목소리로 말했다.

어터슨은 몹시 놀라 다급하게 물었다.

"살인 사건이라니 폴, 도대체 그게 무슨 말인가?"

"말로는 뭐라 설명할 수가 없습니다. 저와 함께 저택으로 가 주시지 않겠습니까? 선생님께서 직접 확인해 주십시오."

어터슨이 의자에서 벌떡 일어나 지킬 박사의 저택으로 향하자, 폴의 얼굴에는 안도의 빛이 떠올랐다.

아직도 차가운 3월의 밤거리였다. 초승달이 차가운 밤하늘에 걸려 있고, 작은 구름 한 조각이 하늘을 가볍게 떠돌고 있었다.

거리에는 쌀쌀한 날씨 때문에 지나가는 사람의 그림자조차 보이지 않았다. 런던 번화가 중의 하나인 거리라고는 전혀 믿을 수 없을 만큼 텅 빈 밤거리였다.

지킬 박사의 집으로 가는 내내 어터슨은 불길한 느낌을 떨쳐 버릴 수가 없었다.

광장으로 접어들자, 길바닥에 흩어진 종이 조각들이 세차게 몰아치는 바람에 공중으로 날아올랐다. 가는 나뭇가지들은 당장이라도 부러질 듯 마구 바람에 흔들렸다.

앞서 걸어가던 폴이 길 가운데에 멈춰 서더니, 모자를 벗고 이마에 흐르는 땀을 닦았다. 그의 얼굴은 새파랗게 질려 있었다.

"이제 다 왔군요. 제발 아무 일도 일어나지 않았으면 좋겠습니다."

저택 앞에 도착하자, 폴이 부들부들 떨면서 말했다. 그리고는 조심스럽게 저택의 문을 두드렸다.

"폴이에요?"

안에서 외치는 소리가 들리더니 문이 열렸다. 어터슨과 폴은 저택 안으로 들어갔다. 현관 홀에는 불이 환하게 켜져 있었다. 난로의 불도 활활 타오르고 있었다.

난롯가에는 이미 여러 하인들이 모여 있었다. 하인들은 모두 걱정스러운 표정으로 초조한 듯 웅성거렸다.

폴의 뒤를 따라 들어오는 어터슨을 보고, 한 하녀가 울음을 터뜨렸다.

"아, 어터슨 선생님. 저희는 모두 겁에 질려 있어요."

어터슨은 모여 있는 하인들을 보며 말했다.

"도대체 무슨 일들인가? 이렇게들 웅성거리며 모여 있으니. 지킬 박사가 보면 언짢아하겠는걸."

"모두들 무서워서 그러는 겁니다, 선생님."

어터슨이 나무라는 듯한 어조로 말하자, 폴이 얼른 대답했다.

폴 영감은 모두에게 조용히 하라고 주의를 주고는, 식당에서 심부름하는 소년에게 촛불을 켜라고 명령했다.

어터슨과 폴은 실험실이 있는 뒤뜰로 향했다.

"자, 어터슨 변호사님! 이제부터는 소리나지 않게 조심하십시오. 저쪽에서 눈치채지 못하도록 말입니다."

뜰을 지나자, 앞서 가던 폴이 어터슨을 돌아보며 다시 주의를 주었다.

"만약 박사님께서 안으로 들어오라고 하시더라도 절대 들어가시면 안됩니다. 잊지 마십시오."

어터슨은 이 뜻밖의 말에 어리둥절했다. 이윽고 어터슨과 폴은 실험실이 있는 건물 안으로 들어갔다. 계단 밑에까지 왔을 때, 폴이 그 곳에서서 어터슨에게 무엇인가를 잘 들어보라는 듯한 몸짓을 했다. 그리고

는 촛불을 들고 계단으로 올라가 박사의 방문 앞에 섰다.

폴은 빨간 천으로 덮인 방문을 떨리는 손으로 조심스럽게 두드렸다.

"어터슨 변호사님이 박사님을 찾아오셨습니다."

폴은 계단 밑에 있는 어터슨을 돌아보며 다시 한 번 잘 들어보라는 몸짓을 했다.

"아무도 만나고 싶지 않다고 전해 주게."

안에서 대답하는 소리가 들렸다.

"알겠습니다, 박사님. 그렇게 전해 드리죠."

이렇게 대답하는 폴의 어조에는 무엇인가 수상해하는 기색이 역력했다.

두 사람은 다시 부엌으로 들어왔다. 폴은 창백한 얼굴로 어터슨을 돌아보며 물었다.

"선생님, 아까 들렸던 그 목소리가 박사님의 목소리였다고 생각하십니까? 저는 지난 20년 동안이나 그분을 모셔 왔습니다. 그분의 목소리라면 눈을 감고도 확인할 수 있어요. 하지만, 조금 전의 그 목소리는 주인님의 목소리가 아니에요."

폴은 떨리는 목소리로 계속 말을 이었다.

"박사님에게 무슨 일이 일어난 게 틀림없어요. 며칠 전의 일입니다. 저는 갑자기 주인님이 '살려줘! 오, 하느님. 살려주세요.' 하고 외치는 소리를 들었습니다. 어떻게 된 일인지는 잘 모르겠지만, 실험실 안에는 주인님이 아닌 다른 누군가가 있습니다. 언제까지 이렇게 지내야 하는 것인지, 저희는 하루하루를 무서움에 떨면서 보내고 있습니다."

묵묵히 폴의 말을 듣고 있던 어터슨이 입을 열어 말했다.

"그럴 리가 없어. 아직은 확실하지 않은 일이니 단정짓지 말게. 만일 자네 말대로라면, 지킬 박사가 누군가에게 살해당했다는 말인데, 그렇다면 왜 범인이 도망가지 않고 아직까지 실험실에 남아 있겠나? 그렇지 않은가?"

그러자 폴 영감은 그 동안에 있었던 이상한 일들을 이야기하기 시작했다.

"저 방 안에 있는 사람이 누구인지는 잘 모르겠지만, 날마다 어떤 종류의 약을 원했습니다. 그런데 원하는 약을 얻지 못하고 있는 것 같더군요. 가끔 박사님께서도 약을 얻으려고 하신 일은 있지요. 그런데 지난 일주일 동안에는 아무 소리도 못 들었어요. 그저 이 종이 쪽지를 내던지는 것 외에는……. 그리고 식사는 문 앞에 갖다 두기만 한답니다. 그러면 아무도 보지 않을 때에 살짝 안으로 가지고 들어가더군요."

폴은 어터슨의 표정을 살피며 말을 계속했다.

"하루에도 두세 번씩 불평을 하며 종이 쪽지에다 적어서 명령을 내립니다. 그러면 저는 온 런던 시내의 약국이라는 약국은 모두 돌아다니며 주문한 약품을 사 가지고 왔습니다. 그 때마다 이 약품은 순수하지 않아서 쓸 수가 없으니 다른 약국으로 가서 약품을 구해 오라고 쪽지를 내미는 것입니다. 무엇에 쓰이는 약품인지는 잘 모르겠지만, 그 약품이 몹시 필요한 모양이에요."

이상한 편지

폴의 설명을 듣고 난 어터슨은 다시 깊은 생각에 잠겼다. 그리고는 고개를 들어 물어 보았다.

"그 종이 쪽지는 가지고 있는가?"

폴은 주머니 여기 저기를 뒤져서 마구 구겨져 있는 종이 쪽지를 한 장 꺼냈다. 어터슨은 그것을 촛불 옆으로 다가가 읽어 보았다.

××약국에 부탁드립니다. 요 며칠 사이에 댁의 약국에서 가지고 온 약품은 순수하지 않아 본인이 전혀 사용할 수가 없소. 오래 전에 몇 번 댁의 약국에서 많은 양의 약을 산 적이 있는데, 그것과 똑같은 약품으로 다시 보내 주시오. 가격은 얼마가 되어도 상관없습니다. 이 약품이 본인에게는 꼭 필요한 약품이니, 서둘러 보내 주시기 바랍니다.

간곡히 부탁드립니다. 그전에 보낸 준 것과 같은 것을 급히 보내 주시오.

헨리 지킬

"정말 이상한 편지군!"

다 읽고 난 어터슨이 고개를 갸우뚱거렸다.

"그렇습니다. 이 쪽지를 본 약국 주인도 화를 벌컥 내면서 종이를 집어던지더군요. 그래서 제가 무슨 내용인가 하고 읽어본 것입니다."

폴의 말을 듣고 난 어터슨은 절망적인 목소리로 말했다.

"이건 틀림없는 지킬 박사의 글씨야, 폴. 그건 자네도 잘 알고 있겠지?"

폴이 대답했다.

"네, 저도 그렇게 생각하고 있습니다. 하지만, 글씨체라는 것은 얼마든지 흉내낼 수 있는 것이니까요. 그보다 어터슨 변호사님, 저는 얼마 전에 그 사람을 본 일이 있습니다."

폴의 이 말에 어터슨은 깜짝 놀라며 말했다.

"뭐? 지킬 박사의 실험실에 있다는 그 사나이 말인가?"

폴은 며칠 전에 있었던 일을 이야기하기 시작했다.

"하루는 제가 정원에서 일을 보다가 이상한 생각이 들어 갑자기 실험실에 들어간 일이 있었습니다. 박사님 방문은 열려 있었어요. 그자는 약품을 찾으러 나왔는지 교실에서 상자를 뒤지고 있었습니다. 문을 여는 소리를 듣고 뒤를 돌아본 그자는 저와 눈이 마주치자 비명을 지르면서 급히 계단을 뛰어올라가 박사님의 방으로 들어가 버렸습니다. 그리고는 곧바로 문을 잠그는 소리가 들렸습니다. 그자를 보는 순간, 저는 머리끝이 쭈뼛해지고, 온몸에 소름이 돋는 것만 같았습니다. 만약 그 사나이가 박사님이라면, 왜 얼굴에 가면 같은 것을 쓴 채 상자를 뒤지고 있었겠습니까? 게다가 저를 보고 그렇게 소리를 지르며 달아날 이유도 없을 테고요. 저는 20년 동안이나 충실하게 박사님을 모셨으니까요. 그렇지 않습니까?"

폴은 더 이상 이야기하기가 괴롭다는 듯이 두 손으로 얼굴을 가려 버렸다.

"정말 괴상한 일이군!"

하지만, 아직까지도 어터슨은 폴의 말이 믿기지 않았다.

"폴, 자네 주인이 어떤 무서운 병에 걸린 것은 아닐까? 그러니까 아주 심한 고통을 겪은 뒤, 몸이 전혀 다른 모습으로 바뀌는 그런 병 말일세. 목소리도 변하고, 얼굴도 변하기 때문에, 자기의 모습을 다른 사람에게 보일 수가 없는 거야. 그래서 얼굴에는 가면을 쓴 것이 아닐까? 게다가 병에 걸렸으니, 그 병을 고치기 위해 필사적으로 약을 구하고 있는 것인지도 모르지. 나는 그렇게 생각하네. 이 예상도 물론 슬프고 끔찍하기는 마찬가지야. 하지만, 누군가에게 살해당했다고 생각하는 것보다는 희망적이지 않은가?"

폴은 어터슨의 이야기를 가로막으며 흥분된 목소리로 말했다.

"하지만 어터슨 변호사님! 그자는 분명히 박사님이 아닙니다. 박사님은 키가 크고 체격도 당당하신 분이지요. 그런데 그 사내는 체격이 매우 작았어요."

어터슨이 무슨 이야기를 하려고 하자, 폴은 손을 내저으며 계속 말을 이어 나갔다.

"그분을 저는 누구보다 잘 압니다. 저는 박사님의 머리가 박사님 방문의 어디쯤에 오는지도 확실하게 알고 있는걸요. 저 안에 있는 사나이는 분명히 박사님이 아닙니다. 전혀 다른 사람이에요. 박사님은 그 사나이에게 살해당한 게 분명합니다."

폴의 이야기를 들은 어터슨은 폴의 말을 확인해 보아야겠다는 생각이 들었다.

"폴, 그렇다면 나와 같이 다시 실험실에 들어가 보세. 이 편지로 봐서는 박사가 살아 있는 게 분명하지만, 아무튼 자네 말도 확인해 봐야겠어."

폴은 그제서야 마음이 놓이는 듯 안도의 한숨을 내쉬며 말했다.

"그렇게 해 주십시오, 선생님! 부탁드립니다."

폴과 어터슨은 함께 실험실로 들어가 보기로 했다.

"실험실 문을 부수고 들어갈 만한 연장 같은 게 있는가?"

"교실에 도끼가 있으니까 그것으로 문을 부숴야겠어요. 변호사님은 이 부젓가락을 들고 가십시오."

어터슨은 폴이 내미는 부젓가락을 받아들며 말했다.

"그런데 자네는 혹시 그 가면 쓴 사나이를 다른 곳에서도 본 적이 있나?"

어터슨의 물음에 폴이 대답했다.

"재빨리 달아나 버려서 누구인지 분명하게 확인할 수는 없었지만, 하이드 씨 같다는 생각이 들었습니다. 왜냐하면, 하이드 씨만큼 몸집도 작았고, 행동도 하이드 씨처럼 빨랐거든요. 그리고 하이드 씨 이외에는 박사님의 실험실에 드나들 만한 사람은 없습니다. 게다가 하이드 씨는 댄버즈 카루 경의 살해 사건이 일어났던 당시까지 이 실험실의 열쇠를 가지고 있었으니까요. 그런데 어터슨 변호사님은 하이드 씨를 본 적이 있으신가요?"

"음, 언젠가 만난 적이 있었다네."

"그럼, 변호사님께서도 하이드라는 사람을 알고 계시겠군요. 변호사님께서도 그 사나이가 어쩐지 불쾌한 기분이 들게 한다고 느끼지 않으셨나요?"

"나도 그렇게 느꼈네. 딱 꼬집어서 어느 부분이라고 말할 수는 없지만, 사람의 기분을 몹시 나쁘게 하는 인상이더군."

"그 가면을 쓴 사나이가 계단을 뛰어올라가 박사님 방으로 들어갈 때, 저는 하이드 씨를 볼 때처럼 등골이 오싹해지는 듯한 기분을 느꼈습니다. 틀림없어요. 그자는 분명히 하이드일 겁니다."

폴은 단호한 어조로 말했다.

어터슨은 폴의 이야기를 듣자 더욱 머릿속이 복잡해졌다.

"폴, 자네가 그렇게 말하니 점점 불안해지는걸. 어쩐지 불길한 기분이 들어. 만약 자네 말대로 방 안에 있는 사나이가 하이드라면, 지킬 박사는 살해된 것이 분명해. 그리고 아직도 저 방 안에 있겠지. 폴, 블래드쇼도 불러 주게."

어터슨의 말에 폴은 블래드쇼라는 하인을 불렀다. 블래드쇼는 새파랗게 질린 채 부들부들 떨며 나타났다.

어터슨은 떨고 있는 블래드쇼의 어깨에 손을 얹으며 말했다.

"정신차리게나, 블래드쇼! 폴과 나는 지킬 박사의 실험실 문을 부수고 들어가 볼 생각이야. 만일 무슨 일이라도 생기게 되면 모든 책임은 내가 지겠네. 혹시 범인이 달아날지도 모르니까, 자네는 무기가 될 만한 것을 가지고 실험실 입구에서 망을 봐 주게."

블래드쇼가 무기를 찾으러 밖으로 나간 사이, 어터슨은 시계를 들여다보며 폴에게 말했다.

"자아, 폴! 우리도 이제 실험실로 들어가 보세."

어터슨은 부젓가락을 들고, 촛불을 든 폴의 뒤를 따라 안뜰로 갔다. 구름이 달을 가려 한 치 앞도 보이지 않을 만큼 어두웠다.

실험실 건물로 들어간 두 사람은 먼저 층계 밑에서 안의 동정을 살폈다.

거리의 소음이 낮게 들려왔다. 그러나 실험실 안은 몹시 조용했다. 층계 위의 방 안에서 왔다갔다하는 구두 발자국 소리를 또렷하게 들을 수 있었다.

"언제나 저렇게 하루 종일 방 안을 빙빙 돌아다니기만 한답니다."

폴이 어터슨에게 나지막하게 속삭였다.

"한밤중에도 저렇게 서성거리지요. 단지 주문한 약품이 도착했을 때만 아주 조용합니다. 그런데 어터슨 변호사님, 가만히 들어 보세요. 천장 위에서 들리는 저 구두 발자국 소리가 박사님의 발자국 소리 같습니까?"

폴의 말을 들은 어터슨은 발자국 소리에 신경을 모았다. 매우 느린 걸음걸이로 걷고 있는 발자국 소리는 경쾌한 느낌을 주었다. 무겁게 신발을 질질 끌며 걷는 지킬 박사의 발자국 소리와는 분명히 달랐다.

어터슨은 폴에게 물었다.

"좀 이상하긴 하군. 지킬 박사의 발자국 소리와는 다른 것 같기도 해.

그 외에는 뭐 없었나?"

폴은 소곤거리듯이 대답했다.

"어느 날인가는 몹시 격렬한 울음소리를 들은 적이 있습니다."

폴의 말에 어터슨은 깜짝 놀라며 물었다.

"울음소리? 대체 어떤 울음소리던가?"

"마치 신음하며 절규하는 듯한 울음소리였어요. 너무나 가련하고 불쌍한 느낌이 들게 하는 울음소리였습니다. 듣고 있는 제 자신도 가슴이 미어져 울음이 날 정도였으니까요."

폴은 고개를 가로저으며 대답했다.

하이드의 죽음

두 사람은 조심스럽게 계단을 가만가만 올라갔다. 실험실에서는 여전히 성급하게 거니는 발자국 소리가 들려왔다.

"지킬!"

계단 꼭대기까지 다 올라가자, 어터슨은 갑자기 큰 소리로 이렇게 외쳤다.

"지킬, 자넬 만나고 싶네."

어터슨은 자리에 멈춰 서서 지킬 박사의 대답을 기다렸다. 그러나 안에서는 아무 대답도 없었다. 그러자 어터슨은 다시 커다란 소리로 외쳤다.

"만나고 싶지 않은가, 지킬? 하지만, 오늘은 꼭 자네를 만나고 가야겠어. 자네를 보고 확인해야 할 것이 있거든. 만약 자네가 문을 열어 주지 않으면, 문을 부수어서라도 자네 방으로 들어가겠네. 그래도 좋은가?"

"어터슨, 제발 부탁이네! 그냥 돌아가 주게. 나를 좀 가만히 내버려두게나."

그 때서야 애원하는 듯한 대답 소리가 실험실 안에서 들려왔다.

"아, 저 소린 지킬 박사의 목소리가 아냐! 저건 분명히 하이드의 목소리야!"

안에서 들려온 대답 소리를 들은 어터슨은 폴에게 말했다. 그리고 소리를 버럭 질렀다.

"폴, 도끼로 어서 이 문을 부숴!"

폴이 도끼로 힘껏 문을 내리치자, '우지끈' 하는 소리가 텅 빈 건물 안에 울려 퍼졌다. 단단한 자물쇠로 잠가놓기라도 한 듯 문은 쉽게 열리지 않았다.

그 때, 공포에 가득 찬 짐승의 비명 소리가 방 안에서 울려 나왔다.

폴은 계속해서 도끼로 문을 내리쳤다. 드디어 자물쇠가 떨어져 나가고 문이 안으로 넘어졌다.

그러나 겁이 난 두 사람은 선뜻 안으로 발을 내디딜 수가 없었다. 이윽고, 넘어진 문을 밟고 실험실 안으로 들어섰다. 방 안은 소름이 끼칠 정도로 쥐죽은 듯이 고요했다.

조용한 실험실 한 편에는 등불이 환하게 빛나고 있었다. 불꽃이 활활 타오르고 있는 난로 주위에는 주전자의 물이 부글부글 끓고 있었고, 옆에 놓여 있는 탁자 위에는 찻잔들이 준비되어 있었다.

두서너 개의 서랍이 열려 있었고, 책상 위에는 서류들이 가지런히 정리되어 있었다. 약품이 가득 들어 있는 유리장만 없었다면, 평범하고 아늑한 보통 방같이 보였을 것이다.

두리번거리며 실내를 살피고 있던 어터슨과 폴은 방 가운데에 한 사나이가 쓰러져 있는 것을 발견했다. 그 사나이는 아직도 경련을 일으키

며 뒹굴고 있었다.

어터슨과 폴은 조심조심 쓰러져 있는 사람 곁으로 다가갔다. 그 사람은 에드워드 하이드였다.

하이드는 마치 남의 옷을 입은 것처럼 몸에 맞지 않는 큰 옷을 입고 있었다. 얼굴의 근육이 약하게 떨리고 있었지만, 하이드의 숨소리는 들리지 않았다. 이미 숨이 끊어졌던 것이다.

하이드의 손에는 깨어진 유리병이 쥐어져 있었다. 방 안은 온통 약품 냄새로 가득 찼다. 강한 약품 냄새로 어터슨은 하이드가 자살했다는 것을 알았다.

"아아, 너무 늦어 버렸어! 우리가 조금만 더 일찍 왔더라면 하이드를 살릴 수 있었을 텐데……."

시체를 들여다보던 어터슨은 얼굴을 찌푸리며 신음하듯 중얼거렸다.

"하이드는 자신에게 알맞은 길을 선택한 거야. 이제 남은 건, 지킬 박사의 시체를 찾아내는 일뿐일세."

2층에는 실험실과 지킬 박사의 방이 있었다. 대부분의 공간은 실험실이 차지하고 있었고, 길 쪽을 향한 나머지 공간이 지킬 박사의 방이었다.

예전에는 학생들을 가르치던 교실이었던 방과 이어진 복도가 뒷문까지 연결되어 있었다. 지킬 박사의 방은 이 계단과도 이어져 있었다. 그밖에도 건물 안에는 어둠침침한 헛간과 지하실이 있었다.

어터슨과 폴은 지킬을 찾기 위해 건물의 구석구석을 샅샅이 조사하며 돌아다녔다.

헛간은 먼지만 잔뜩 쌓여 있을 뿐 텅 비어 있었다. 지하실에는 지킬이 저택을 사들이기 전의 주인이었던 외과 의사의 잡동사니들이 잔뜩 쌓여 있었다. 지킬 박사는 이 지하실을 사용하지 않았던 모양이다.

두 사람의 노력에도 불구하고 지킬 박사의 모습은 어느 곳에서도 찾을 수 없었다.

"혹시 복도에 깔린 돌 밑에 파묻었을지도 몰라."

폴은 복도 바닥에 귀를 댄 채 돌을 두드려 보았지만 이상한 조짐은 발견할 수 없었다.

어터슨은 뒷골목으로 통하는 출입문으로 갔다. 그러나 문에는 자물쇠가 채워져 있었다. 오래도록 사용하지 않았는지, 자물쇠에는 온통 녹이 슬어 있었다.

"이 문은 사용한 지가 꽤 오래된 모양이야."

어터슨이 이렇게 중얼거리며 곁에 있는 폴에게 말했다.

"자물쇠를 봐서는 이 문은 계속 닫혀 있었던 것 같아. 폴, 다시 실험실 안을 살펴보세."

두 사람은 다시 계단을 올라가 실험실 안으로 들어섰다. 쓰러져 있는 하이드의 시체 주변과 실험실 안을 샅샅이 조사하기 시작했다.

책상 위에 어떤 화학 실험을 한 흔적이 남아 있었다. 그리고 그 옆의 유리 접시에는 하얀 소금 같은 가루들이 담겨 있었다.

"이건 제가 주인님에게 갖다 드린 약품 같습니다."

폴이 접시 위의 가루를 살펴보면서 어터슨에게 말했다.

그 때, 주전자의 물이 끓어 넘쳤다. 그 소리에 깜짝 놀란 두 사람은 책상을 떠나 난롯가로 다가갔다. 난로 옆에는 안락의자가 놓여져 있었고, 탁자 위 찻잔에는 설탕이 담겨 있었다.

선반 위에는 대여섯 권의 책이 놓여져 있었는데, 종교에 관한 내용을 담은 책 한 권이 펼쳐져 있었다.

실험실 안을 여기저기 살피던 두 사람은 커다란 거울 앞에 섰다. 커다란 거울 속을 들여다보며 두 사람은 묘한 공포감을 느꼈다. 그러나 여느 평범한 거울과 마찬가지로 그 거울은 천장에서 어른거리는 불꽃 그림자와 자기들의 파랗게 질린 얼굴을 비추고 있을 뿐이었다.

"정말 기분 나쁜 거울이군. 폴, 지킬은 도대체 왜 이렇게 큰 거울을 여기에 걸어놓았을까?"

어터슨은 이상하다는 듯 폴을 바라보았다.

두 사람은 다시 서류가 정리되어 있는 책상 위를 살피기 시작했다. 맨 위에 커다란 봉투가 놓여 있었다. 봉투를 집어들어 보니, 겉봉에는 지킬 박사의 필적으로 어터슨의 이름이 쓰여 있었다.

어터슨은 그 봉투를 뜯었다. 그러자 몇 장의 종이들이 책상 위로 떨어졌다.

그 중 한 장은 유언장이었다. 유언장에는 어터슨이 보관하고 있는 지킬 박사의 유언장 글귀들이 적혀 있었다. 그러나 유언장을 읽어보던 어터슨은 깜짝 놀랐다. 지킬 박사의 재산을 받을 사람이 에드워드 하이드가 아니라 가브리엘 존 어터슨으로 되어 있었던 것이다.

그는 폴을 쳐다보고, 다시 한 번 서류를 찬찬히 읽어 내려갔다. 그리고는 아직도 방 한가운데에서 뒹굴고 있는 하이드의 시체 쪽으로 시선을 돌렸다.

"뭐가 뭔지 도대체 모르겠군! 머리가 어지러워!"

어터슨은 중얼거렸다.

"하이드는 분명히 이 서류를 보았을 거야. 그런데 왜 이 유언장을 찢어 버리지 않았을까? 나를 위해서 그런 것은 결코 아닐 텐데⋯⋯. 유언장에 자기 이름이 없어진 것을 알고도 가만히 있은 하이드의 뜻을 모르겠군."

어터슨은 이렇게 말하며 다른 서류를 집어들었다.

그것은 지킬 박사의 글씨로 쓰여진 짧은 편지였다. 편지에는 날짜가 적혀 있었다. 날짜를 본 순간, 어터슨은 소리를 질렀다.

"폴, 이건 오늘 쓰여진 편지야! 어딘가에 지킬은 살아 있을 거야. 살해되어 시체까지 버려지기에는 너무 짧은 시간이지. 틀림없이 어딘가로 달아났을 걸세. 그런데 왜 도망을 갔을까? 그렇다면 도리어 지킬이 하이드를……? 아, 폴! 어쩌면 지킬이 하이드에게 무서운 일을 저지르고 사라져 버린 건 아닐까?"

"선생님, 어서 그 편지를 읽어 보세요."

당황해서 소리를 지르던 어터슨은 폴의 말에 정신을 차리고 편지를 읽기 시작했다.

어터슨!

자네가 이 편지를 읽고 있을 무렵이면, 난 이미 행방 불명이 되어 있을 것이네. 어떤 상황에서 행방 불명이 될는지 나 자신도 알 수가 없구만.

하지만, 지금의 내 예감과 상황으로 봐서는 조만간 일이 벌어지고 말 거야.

어터슨, 자네는 먼저 레니언이 남겨놓고 간 편지를 읽어 주게. 그러고 난 다음, 더 자세히 알고 싶다면, 내가 쓴 고백서를 읽어 주게.

헨리 지킬

"폴, 이 편지말고 다른 서류가 또 하나 있었지?"

어터슨이 편지를 다 읽고 난 다음 폴에게 물었다.

"네, 여기 있습니다."

폴은 책상 위에 놓여 있는 두꺼운 서류 꾸러미를 집어 어터슨에게 주었다.

폴에게서 그 서류 봉투를 받아든 어터슨이 말했다.

"폴, 이 서류에 관해서는 당분간 아무에게도 말하지 말게. 지킬 박사에게 무슨 일이 생겼든 간에 우선은 그의 명예가 손상되지 않도록 신경을 쓰고 싶네. 시간이 벌써 10시가 다 됐군. 이 서류를 가지고 집으로 돌아가서 조용히 읽고 오겠네. 한밤중까지는 다시 이 저택으로 돌아올 수 있을 테니까, 내가 온 다음에 경찰에 알리도록 하세."

"알겠습니다, 어터슨 변호사님. 기다리고 있겠습니다."

잠시 후, 복도를 지나 교실을 빠져나온 두 사람은 문을 잠갔다.

어터슨은 초조하게 그들을 기다리고 있던 하인들에게 작별 인사를 한 뒤, 지킬 박사의 집을 나왔다. 그리고는 자기 집을 향해 걸음을 옮겼다.

어터슨은 한시라도 빨리 사건을 해결하고 싶은 마음에 걸음을 재촉했다.

레니언 박사의 일기

집으로 돌아온 어터슨은 먼저 금고 속에 보관하고 있던 레니언의 편지를 꺼내 봉투를 뜯었다. 그것은 편지가 아니라 레니언이 쓴 일기였다. 어터슨은 책상 앞에 앉아 레니언의 일기를 읽기 시작했다.

1월 9일

4일 전, 나는 집으로 배달된 한 통의 편지를 받았다. 나의 오랜 친구인 헨리 지킬이 보낸 편지였다.

나는 이 뜻밖의 일에 크게 놀랐다. 왜냐하면, 헨리는 편지를 주고받는

일이 전혀 없었기 때문이다. 게다가 우리 사이에 등기 우편을 보낸 것이 더욱 의아했다. 더구나 그 전날 밤에는 같이 식사를 하기도 했던 것이다.

지킬의 꽤 두툼한 편지를 읽어 나가면서 나는 아주 기묘한 기분을 느꼈다. 헨리 지킬의 편지는 다음과 같은 내용이었다.

레니언!

자네와 나는 아주 오래된 친구 사이지. 비록 우리 두 사람이 학문상으로는 서로 의견이 다르지만, 그 일로 우리의 우정을 깨뜨린 일은 한 번도 없었다고 생각하네.

만일 자네가 나에게 '지킬! 나의 생명과 명예, 그리고 그 밖의 나의 모든 것을 자네에게 맡기겠네!' 라고 말한다면, 나는 언제라도 자네를 구할 걸세. 내 모든 것을 희생해서라도 말이야.

레니언!

하지만 지금은 내 생명과 명예가 자네의 마음에 달려 있네. 만일 오늘 밤 자네가 나를 도와주지 않는다면 나는 영원히 파멸해 버리고 말 거야.

여기까지 읽기만 해도 내가 얼마나 위험한 상황에 처해 있는지를 짐작했으리라 생각하네.

오늘 밤, 나는 자네가 어떤 약속도 하지 않기를 바라네. 설령 국왕 폐하의 부름을 받는 약속일지라도 말이야.

그리고 이 편지를 받는 즉시 마차를 타고 우리 집으로 좀 와주게. 미리 일러 놓았으니까 폴이 문간에서 자네를 기다리고 있을 것이네. 아마 방문은 잠겨 있을 거야. 그러니 부수어서 열게. 그리고는 자네 혼자 실험실 안으로 들어가서 왼쪽에 있는 E라고 쓰인 유리장을 열어 네 번째 서랍을 빼게. 혹시 이 유리장도 잠겨 있으면 부숴 버리고 열게나.

지금 내가 매우 괴로운 상황이어서 자네에게 잘못 가르쳐주고 있는지도 몰라. 하지만 안에 들어 있는 내용물을 살펴보면, 그 서랍이 맞는 것인지 자네라면 곧 알 수 있을 걸세.

그 서랍에는 가루약과 작은 유리병, 그리고 노트가 들어 있어. 내가 이제 자네에게 첫 번째 부탁을 하겠네. 서랍째 꺼내서 자네 집으로 가져가 주게.

두 번째 부탁을 이제부터 이야기하지.

만일 자네가 이 편지를 받은 즉시 출발한다면, 한밤중이 되기 전에 자네 집으로 돌아갈 수 있을 거야. 그렇지만 뜻밖의 일이 생겨서 귀가 시간이 늦어질 수도 있으니까, 시간은 여유 있게 잡도록 하게.

자네 집의 하인들이 모두 잠들고 나면, 아래 적힌 내용대로 해 주게나.

밤 12시가 되면 자네는 진찰실에 혼자 있다가 내 명함을 가지고 온 사나이를 자네가 직접 집 안으로 데리고 들어가 줘. 그리고 내 방에서 가지고 온 그 서랍을 그 사나이에게 전해주게. 그러면 자네의 역할은 모두 끝나는 거야.

레니언, 난 자네에게 진심으로 감사하네.

만일 자네가 이렇게 해야만 하는 이유를 알고 싶다면, 5분 정도만 기다리게. 그러면 내가 부탁한 일이 얼마나 중대한 것이었던가를 깨닫게 될 거야.

나는 틀림없이 자네가 나의 부탁을 들어줄 것이라고 믿네. 하지만, 만일 조그마한 잘못이라도 생겨서 일이 어긋나게 되면, 나는 죽어 버리거나, 머리에 이상이 생길지도 몰라.

자네가 실수를 하지는 않을 거야. 하지만, 조금이라도 일이 잘못되면 어쩌나 하는 생각만 하면 나는 가슴이 덜컥 내려앉고 손이 떨리네.

레니언, 한밤중에 아무도 모르는 곳에서 다른 사람들은 상상도 하지 못할 무서운 괴로움에 떨고 있는 나를 가엾게 여겨 주게.

자넨 틀림없이 나를 위해 애써 주겠지? 그렇게 하다 보면 내 괴로움이 거짓말처럼 들리지는 않을 거야. 아무쪼록 내 이야기 명심하고 내 소원을 들어주게, 나를 좀 구해줘, 레니언. 정말 부탁일세.

1월 5일 헨리 지킬

추신 : 이 편지를 다 쓰고 나자 나는 새로운 공포를 느꼈네. 우체국 사정으로 내일 아침까지 자네가 이 편지를 받지 못하면 어떻게 하나.

그런 경우가 생긴다면, 레니언, 그 날 사정에 맞추어서 내 부탁을 들어주게. 그리고 역시 밤 12시에 내가 보낸 사람을 만나주게.

그러나 어쩌면 이미 때가 늦었는지도 몰라. 그리고 그날 밤, 아주 사소한 사고로 영원히 헨리 지킬을 만나지 못할지도 모른다는 것을 알아주게.

편지를 다 읽고 나자, 나는 지킬이 제정신이 아니라고 확신했다. 그러나 그것은 나중에 알아보더라도 우선은 헨리 지킬이 부탁한 일을 들어주는 것이 나의 의무라고 생각했다.

그의 부탁이 어떤 의미인지를 알지 못했기 때문에, 그 일이 얼마나 중요한 일인지도 알 수가 없었다. 그러나 진지하고 슬픔에 가득 찬 편지의 내용 때문에 나는 지킬이 부탁한 대로 곧바로 헨리 지킬의 집으로 가기로 했다. 그래서 즉시 옷을 갈아입고 마차를 탔다.

헨리가 말한 대로 폴은 문간에 서서 내가 오기를 기다리고 있었다. 폴은 목수와 열쇠장이를 부르라는 명령을 등기 우편으로 받았다고 했다. 그래서 목수와 열쇠장이를 불러오기 위해 사람을 보냈다며 그들을 기다리고 있었다.

목수와 열쇠장이가 오자, 우리는 곧 그 음침한 교실로 들어가는 문 앞에 섰다. 실험실 문은 매우 커다란 자물쇠로 잠겨 있었다. 목수는 무리해서 열려고 하면 문만 못쓰게 된다고 했다. 열쇠장이도 이 자물쇠는 도저히 열릴 것 같지 않다고 했다.

우리는 어떻게 해야 좋을지 몰라 서로의 얼굴만을 멀뚱멀뚱 쳐다보고 있었다. 그 때, 열쇠장이가 자기가 한번 해 보겠다고 나섰다. 열쇠장이는 2시간 정도 걸려서 마침내 문을 열었다.

나는 서둘러 실험실 안으로 들어가 E라고 쓰여진 유리장을 연 다음, 네 번째의 서랍을 뺐다. 그리고 그것을 지킬의 부탁대로 서랍째 천으로 싸 가지고 집으로 돌아왔다.

나는 안에 들어 있는 물건들을 살펴보았다.

가루약 봉지는 서투른 솜씨로 싸여 있었다. 아마도 지킬 자신이 손수 싼 것 같았다. 약봉지 하나를 펼치자, 하얀 소금덩어리 같은 것이 들어 있었다.

빨간 액체가 반쯤 들어가 있는 작은 유리병이 내 주의를 끌었다. 그 액체에서는 아주 지독한 냄새가 났다. 그 액체 속에는 인과 에테르가 포함되어 있는 것 같았다. 그 밖의 성분은 전혀 알 수가 없었다.

노트는 특별할 것이 없는, 보통 흔히 볼 수 있는 노트로, 날짜만 적혀 있었다. 몇 년 동안 계속 기록되어 있던 날짜가 1년 전쯤부터 뚝 끊어져

있었다. 그리고는 띄엄띄엄 날짜가 적혀 있고, 그 밑에는 단지 '2배' 라고만 쓰여 있을 뿐이었다.

날짜의 맨 처음 부분에는 '완전한 실패' 라는 단어가 적혀 있었다.

서랍 속에 담겨 있는 내용물들은 모두 나의 호기심을 자극했지만, 나는 그것이 어디에 쓰이는 것들인지, 무슨 의미가 있는 것인지 전혀 알 수가 없었다.

액체가 든 유리병, 가루약, 실험 기록을 적은 노트⋯⋯. 도대체 이런 것들이 지킬과 무슨 관계가 있단 말인가?

그리고 왜 지킬은 심부름꾼을 보냈는지, 어째서 그 사람을 아무도 모르게 만나야 하는 것인지⋯⋯.

생각할수록 머릿속은 더욱 복잡해져만 갔다. 난 지금 지킬이 제정신이 아니라고 더욱 확신하게 되었다.

하인들에게는 일찍 잠자리에 들라고 지시했다. 그리고는 만일의 사태에 대비해 낡은 연발 권총에 총알을 재어 두었다.

무서운 약물

근처 교회에서 12시를 알리는 종소리가 울렸다. 그 순간, 누군가가 문을 두드렸다.

현관 문을 열고 나가 보니, 키가 작은 한 사나이가 기둥 뒤에 웅크리고 서 있었다.

"지킬 박사의 심부름으로 오신 분인가요?"

나는 그 사나이에게 물었다.

"예, 그렇습니다."

사나이의 대답을 듣고, 나는 안으로 들어오라고 말했다. 그 사나이는 고개를 돌려 거리를 살펴본 후, 안심한 듯한 표정을 지으며 안으로 들어왔다.

문을 막 닫으려고 할 때, 손전등을 들고 이쪽을 향해 오고 있는 경관이 눈에 띄었다. 그것을 본 사나이는 당황한 듯이 서둘러 안으로 들어왔다.

키 작은 사나이의 행동이 마음에 거슬렸다. 그래서 나는 호주머니 안에 손을 넣어 살며시 권총을 고쳐 쥐고는 진찰실로 향했다.

밝은 진찰실로 들어오자 그 사나이의 모습을 똑똑히 볼 수 있었다.

무척 기분 나쁜 인상을 가진 사나이였다. 어딘지 모르게 불쾌한 기분이 들게 했다. 게다가 사나이는 비정상적으로 보일 만큼 단단한 근육을 가지고 있었다. 그런데도 몹시 병약해 보였다.

한 번도 만난 일이 없는 기분 나쁜 낯선 사나이가 곁에 있다는 것이 싫었다. 나는 까닭없이 차츰 불안해지기 시작했다.

그 사나이는 우스꽝스러운 옷을 입고 있었다. 만일 다른 사람이 그런 옷을 입고 있다면 나는 커다란 소리로 마구 웃어댔을 것이다. 그러나 그 사나이의 모습은 전혀 우습지가 않았다. 우습기는커녕 눈앞에 있는 이 기이한 사나이는 불구자라는 인상마저 주었다.

나는 갑자기 사나이의 신분이 무엇인지 알고 싶었다.

정체를 알 수 없는 사나이는 매우 흥분되어 있었는데, 그는 더 이상 기다리기 힘들다는 듯이 내 팔을 잡아 흔들며 물었다.

"그것을 가지고 오셨겠지요?"

순간, 나는 그의 팔을 밀쳐냈다. 그의 손이 몸에 닿자 마치 온몸의 피가 얼어붙는 것 같은 느낌이 들었기 때문이다.

"자, 우선 좀 진정하시고, 여기 앉으세요. 우리는 아직 인사도 나누지 않았습니다."

나는 이렇게 말하면서 환자를 대하듯이 침착해지려고 애를 썼다.

"실례했습니다, 레니언 선생님!"

그는 공손하게 사과하면서 이렇게 말했다.

"제가 마음이 급해서 그만 실례를 했습니다. 저는 지킬 박사의 심부름으로 온 사람입니다."

여기까지 이야기를 하던 그 사나이는 갑자기 목에 손을 갖다 대며 발작이 일어나려는 것을 억지로 참고 있는 듯했다.

"서랍은 틀림없이……."

사나이의 괴로워하는 모습에 조금 당황한 나는 서랍을 가리키며 말했다.

"아, 예! 서랍이라면 여기 있습니다."

지킬 박사의 서랍은 천에 싸인 채 책상 뒤의 바닥에 놓여 있었다.

사나이는 그 서랍을 집어올리려다가 다시 발작이 일어나는 듯 심장을 손으로 눌렀다. 턱이 덜덜 떨리며 경련을 일으키고, 뿌드득 이를 가는 소리가 들렸다. 그는 아주 흉할 정도로 얼굴을 찡그리고 있었다.

저러다가 저 사나이가 그대로 숨이 끊어지기라도 하면 어쩌나 하는 생각이 들자 몹시 불안했다.

"진정하십시오. 자, 정신을 차리세요."

내가 이렇게 말하자 그는 일그러진 얼굴에 미소를 띠었다. 그리고는 꽁꽁 묶어 놓은 천을 끌어당겨 그것을 풀었다. 천에 싸여 있던 서랍이 나오자, 그의 얼굴에는 기뻐하는 빛이 역력했다. 어느 틈에 침착함을 되찾은 목소리로 그가 물었다.

"눈금이 그려져 있는 유리컵이 있습니까?"

나는 그에게 유리컵을 건네주었다.

유리컵을 받은 사나이는 내게 고맙다며 인사를 했다. 그는 작은 유리

병에 담겨 있던 빨간 액체를 그 컵에 얼마쯤 따르고 난 뒤 거기에 가루약 한 봉지를 탔다.

처음에는 붉은 빛깔을 띠고 있던 액체는, 가루가 녹아갈수록 점차 소리를 내며 끓어올랐다. 희미한 연기가 나자, 끓는 기세가 차차 누그러지더니 마침내 멈추어 버렸다. 이어 유리컵 속에 담겨 있던 액체는 검은빛을 띤 자주색으로 변하다가, 잠시 후에는 엷은 초록색으로 다시 변했다.

그 때서야 날카로운 시선으로 이 변화를 지켜보던 사나이는 이제 다 되었는지 빙그레 웃고는, 유리컵을 책상 위에 내려놓았다.

내 표정을 살피듯 쳐다보던 사나이는 이윽고 입을 열어 말했다.

"자, 당신은 더 이상 알려고 하지 않고 나를 이 집에서 나가게 하겠소? 아니면, 좀더 자세하게 알고 싶소? 잘 생각해서 결정해 주기 바라오. 나는 당신의 의견을 존중해서 거기에 따라 행동하겠소. 당신이 어떤 결정을 내리는가에 따라 당신은 지금의 당신으로 남게 되든지, 아니면 새로운 지식을 알게 되어 뛰어난 학자로서 더욱 유명해지게 되든지 할 것이오."

사나이의 말에 나는 대답했다.

"당신이 누구인지는 모겠지만, 정말 수수께끼 같은 소리만 하는군요. 나는 이제까지 당신이 한 말을 주의 깊게 듣지는 않았습니다. 하지만, 이 시간까지 아무것도 묻지 않고 당신을 도와줬으니, 이왕이면 모든 것을 알았으면 좋겠습니다."

나의 대답을 듣고 난 뒤, 사나이는 싱긋 웃으며 나를 쳐다보았다.

"좋소. 앞으로 당신 눈앞에서 벌어지는 일들에 대해 꼭 비밀을 지켜야 하오. 당신의 견해와 생각들은 그 범위가 너무 좁았소. 당신은 전혀 신비한 약품의 힘을 믿지 않으려고 했지. 그리고 당신은 자기보다 뛰어난 사람을 오히려 바보 취급하기까지 했어. 자, 레니언 선생, 잘 보시오!"

사나이는 이야기를 마치자, 유리컵을 입에 갖다 대고 컵 안의 내용물을 단숨에 마셔 버렸다.

그러자, 갑자기 그는 괴상한 비명을 지르며 몸을 휘청거리다가, 책상을 붙잡고 겨우 몸을 지탱했다. 핏발 선 눈으로 입을 크게 벌린 그는 괴롭게 헐떡거렸다.

잠시 후, 사나이의 몸에서는 굉장한 변화가 일어나기 시작했다.

자그마한 몸집이었던 사나이가 커다랗게 부풀어오르더니 갑자기 얼굴이 거무스레하게 변하는가 싶더니, 눈과 코, 입이 녹아내리며 그 모양이 달라졌다.

나는 의자에서 벌떡 일어났다. 나도 모르게 벽까지 뒷걸음치면서 공포감에 두 손으로 얼굴을 가렸다.

이 세상에서 도저히 있을 수 없는 일, 믿을 수 없는 일이 내 눈앞에서 벌어지고 있었던 것이다.

"오, 하느님! 오, 하느님!"

나는 몇 번이나 신을 찾으며 두려움에 떨었는지 모른다.

수 없이 하느님을 불러대는 내 앞에 전혀 뜻밖의 인물이 서 있었다. 얼굴이 새파랗게 질리고, 온몸을 부르르 떨면서, 반쯤 정신을 잃은 채 두 손으로 무엇인가를 붙잡으려고 허우적거리는 사람은, 놀랍게도 헨리 지킬 박사였다.

마침내 헨리 지킬 박사는 한 시간여 동안 모든 것을 자세히 털어놓았다.

지킬이 나에게 들려준 이야기는 쓰지 않겠다. 내 눈과 귀로 확인한 것이다.

그 때, 내가 보게 된 것과 듣게 된 것을 모두 증오한다. '낯선 사나이에서 지킬 박사로 변하던 광경을 지금도 믿을 수 있느냐?'고 나 자신에게 물어 보아도 도저히 대답할 수가 없다.

그 이후부터 내 생활은 완전히 엉망이 되어 버렸다. 밤에도 제대로 잠을 이룰 수가 없었다.

끝없는 두려움이 밤낮없이 나를 뒤쫓아 다니며 떨어지지 않는다. 이대로 가다가는 얼마 지나지 않아 죽을 것만 같다. 내가 머지않아 죽으리라는 것은 거의 틀림없는 일이다.

그 사나이가 후회의 눈물을 흘리며 고백하던 모습을 아직도 나는 생생하게 기억한다. 그러나 그 모습은 생각만 해도 소름이 끼친다.

어터슨, 한 마디만 자네에게 이야기하겠네.
그날 밤 나를 찾아왔던 그 사나이는, 지킬 박사의 고백에 따르면, 댄버즈 카루 경의 살인범으로 전 영국에 지명 수배되었던 하이드라는 자였네.

선한 모습, 악한 모습

레니언 박사의 일기를 다 읽고 난 어터슨은 한참 동안 가만히 의자에 기대어 있었다. 무엇이 어떻게 된 것인지 쉽게 이해할 수가 없었다.

등은 어느 새 땀으로 축축하게 젖어 있었다. 갑자기 사무실 안이 무서워졌다. 문득 레니언 박사의 집을 찾아갔던 날, 창백한 모습으로 앉아 있던 레니언의 얼굴이 떠올랐다.

잠시 후, 정신을 가다듬은 어터슨은 지킬 박사가 남긴 두꺼운 봉투를 뜯었다. 그리고 두려움에 떨며 그것을 읽어 나가기 시작했다.

나는 넉넉한 집안에서 태어났다. 뛰어난 재능을 가지고 있었고, 또 부지런했기 때문에 어른들로부터 많은 기대를 받았다. 또한, 나는 위대한 인물을 숭배하는 것을 좋아했다.

그러나 나의 커다란 결점은 모든 일에 지나치게 서두른다는 것이었다. 이러한 조급한 성격의 사람 중에는 행복하게 사는 사람도 많았지만, 나는 그렇지가 못했다.

다른 사람에게 절대로 고개 숙이고 싶지 않는 성향은, 많은 사람 앞에서 으스대거나 더욱 점잖은 체하는 내 성격과 도무지 어울리지 않았다. 나는 점점 기쁜 일이 있어도 잘 드러내지 않게 되었다.

나이가 들어 지난날을 돌아보고, 나의 사회적 출세와 지위에 관심을 가지게 되었을 때에는, 이미 오래 전부터 이중 인격자로서의 삶을 살고 있었다.

보통 사람들은 대수롭지 않은 일을 가지고 마치 대단한 자랑거리라도 되는 양 떠들어댔지만, 높은 이상을 가지고 있던 나는 이러한 것들이 우습게만 여겨졌다.

인간은 누구나 다 선과 악, 두 가지의 성질을 가지고 있다. 그러나 나는 내 마음속에 보통 사람들보다 더욱 분명하게 선과 악을 구별해 놓고 있었다. 그것은 내가 높은 이상을 품고 있었기 때문이었다.

나는 비록 겉과 속이 다른 이중 인격자 같은 생활을 하고는 있었지만, 결코 위선자는 아니었다. 나는 선과 악 양쪽에 모두 관심을 기울이고 있었던 것이다.

악을 행할 때도, 세상을 위한 학문을 연구할 때에도 나는 늘 진지했다.

언제부터인가 내 연구는 점점 신비하고 초자연적인 방향으로 기울어지고 있었다. 나는 내 안에 있는 선과 악, 이 두 가지를 구별하여 행동하는 것은 쉬운 일이 아니라고 생각했다. 그래서 자신 속에 있는 선과 악이 서로 다투는 싸움에 대하여 오랫동안 생각하고 연구했다.

그 결과 나는 하나의 결론을 만들어 냈는데, 그것은 인간은 따지고 보면 하나가 아니라 둘이라는 것이었다.

쉽게 설명을 하면, 내 마음속에 있는 선과 악이라는 감정은 언제나 서로 싸움을 한다. 나라는 인간은 선이면 선, 악이면 악, 이렇게 딱 어느 한쪽으로 이루어진 것이 아니라, 선한 부분과 악한 부분 양쪽으로 나누어져 있다는 것이다.

그러나 언제나 싸우고 다투는 이 두 가지 성질을 과학의 힘으로 서로 분리시킬 수 있다면 어떻게 될까?

선과 악이라는 전혀 다른 두 성질을 하나로 묶어 한 인간 속에 넣는다. 즉, 이 두 가지 성질을 따로따로 떼어낸 뒤에 '선한 인간'과 '악한 인간'이라는 식으로 나눌 수는 없을까?

나는 선과 악을 분리하는 문제를 처음에는 막연한 공상에 빠져 생각했다. 그러나 시간이 갈수록 그것을 공상이 아니라 과학으로 이룩할 방법을 찾아 보고 싶다는 생각을 하게 됐고, 드디어 연구하기에 이르렀다.

'언제나 내 마음속에서 싸우고 있는 선과 악을 서로 떼어낼 수 있다면 얼마나 마음이 편할까?'

그렇게만 된다면, 선은 악의 방해를 받지 않고 자유로이 선한 길을 택해 마음껏 선한 행동을 할 수 있을 것이다. 그러한 행동은 인간의 삶을 더욱 행복하게 해줄 것이다. 반대로 악은 선의 구속을 받지 않고 마음껏 악한 행동을 할 수 있을 것이다.

나는 오랜 시간 동안 이 두 가지 인격을 떼어놓는 연구에 몰두했다.

실험실에 틀어박혀 고민하고 있을 때, 갑자기 어떤 생각이 내 머릿속을 스쳐갔다.

옷을 입고 걸어다니는 우리 인간들의 육체는 단단하고 완벽해 보이지만, 사실은 안개처럼 아무 의미가 없는 것이다.

그 의미 없는 육체의 세포 조직을 어떤 힘으로 움직일 수 있다면, 육체 속에 있는 정신을 바꾸어 버릴 수 있지 않을까?

생각이 여기까지 미치자, 나는 필사적으로 그렇게 할 수 있는 약을 만드는 실험에 몰두하기 시작했다. 실패에 실패를 거듭한 끝에, 드디어 어떤 화학 약품을 발명해 냈다. 마지막으로 그 약품이 정말 성공적으로 만들어진 것인지 확인할 필요가 있었다.

그러나 이 약품은 양이 조금만 달라져도, 또 이것을 마시는 시기가 조금만 빨라지거나 늦어져도 마신 사람의 육체는 녹아서 형태마저 없어져 버릴 것이었다. 그 실험에는 죽음의 위험이 뒤따랐던 것이다.

어느 날 밤, 나는 마침내 실험 대상을 나 자신으로 결정하고 실험실 문을 잠근 후 작업에 착수했다.

유리컵에다 필요한 약품들의 양을 일정하게 조절하여 섞은 후, 섞인 약품들이 연기를 내며 끓어오르는 것을 지켜보았다.

이윽고, 한꺼번에 끓어오르면서 연기를 내던 것이 멈추자, 나는 컵에 담겨 있는 액체를 단숨에 마셔 버렸다.

순간, 뼈가 부서져 가루가 되어 버릴 듯한 엄청난 고통이 한참 동안이나 계속되었다.

얼마 후 고통이 사라지자, 나는 마치 큰 병이라도 앓고 있는 사람처럼 아무 힘도 쓸 수가 없었다. 그 때의 기분을 무엇이라고 설명해야 할까!

예전에는 느껴 본 적이 없는 신선한 기분이 들었다. 내 몸이 더욱 젊어지고 공중에 둥둥 뜰 정도로 가벼워진 것을 느꼈다.

게다가 아주 대담한 성격으로 바뀌어서 무엇이든 난폭한 짓을 하고 싶어졌다. 이전에는 다른 사람들에게 해가 될까 봐 함부로 하지 못했던 일들이었다. 엉뚱하고 기괴한 생각들이 내 머릿속을 가득 채웠다.

그리하여 내 자신이 인정 없는 끔찍한 악의 인간으로 변한 것을 알았지만, 죄책감 같은 것은 조금도 느껴지지 않았다. 오히려 기운이 솟아오르고 나도 모르게 즐거워져 두 어깨를 활짝 폈다. 내 몸집이 아주 작아졌다는 것은 그 때 알게 되었다.

그 전까지 내 방에는 거울이 없었다. 지금도 내 옆에 걸려 있는 커다란 거울은 나중에 있을 나의 변화를 보기 위해 사 놓은 것이다.

어느 새 새벽녘이 가까워졌다.

기쁨과 승리감에 도취된 나는 실험실을 나와 정원을 가로질러 침실로 갔다.

침실의 거울을 통해, 나는 비로소 에드워드 하이드의 모습을 보게 되었다. 거울에 비친 모습은, 지킬이라는 사람 안에 있는 선한 부분을 완전히 떼어내 버리고, 새로이 만들어진 악의 인간이었다.

마침내 실험에 성공한 것이다.

거울 속에 비친 몸집이 우스울 만큼 작은 악의 인간은 매우 약해 보였는데, 신체 발육이 중간에 멈춰 버린 사람 같은 이상한 모습을 하고 있었다.

어째서일까? 나는 아직까지도 그 이유를 모른다. 과학적으로도 증명할 수가 없다. 그러나 이론적으로는 이렇게 설명할 수 있을 것이다.

즉, 나는 지금까지 자라오면서 악의 성질보다는 선한 성질을 키우기 위해 노력해 왔다. 그러니 나의 악한 부분은 분명 선한 부분보다 작고 초라할 것이다. 때문에 악 쪽인 에드워드 하이드는 선 쪽인 헨리 지킬보다 매우 작고 약한 모습을 하게 된 것이 아닐까 생각한다.

에드워드 하이드의 얼굴에는 악한 사람의 표정이 뚜렷하게 드러나 있었다. 몸 전체가 마치 악으로 가득 찬 사람처럼 비뚤어져 있었다. 에드워드 하이드의 얼굴을 보는 사람은 누구나 그의 악한 표정과 모습 때문에 소름이 끼칠 정도로 혐오감을 느끼게 될 것이다.

그러나 나는 그렇지 않았다. 거울 속에 비친 에드워드 하이드의 불쾌한 얼굴을 보면서 가슴이 뛰는 통쾌함과 기쁨, 그리고 희망 따위의 감정을 느꼈던 것이다.

'저 악해 보이는 얼굴도 결국 나의 얼굴이다. 엄숙하고 신사다운 얼굴보다 얼마나 인간적인가? 잘난 척하고, 착한 척하고, 예의 바른 척하는 사람의 얼굴보다 얼마나 생기가 넘치고 정직한가!'

나는 이렇게 생각한 것이다.

그러나 나는 새벽이 되기 전에 다시 헨리 지킬 박사가 되어 있어야만 했다. 본래의 모습으로 되돌아가기 위해 실험실로 가서 약품들을 섞어서 마셨다.

하이드로 변할 때만큼이나 심한 고통을 겪은 후, 나는 지킬로 되돌아와 있었다.

악한 인간

실험에 성공했다. 이 세상 사람들이 꿈에도 생각할 수 없는 기적을 이룬 것이다.

나는 한 인간 안에 있는 선과 악을 따로 떼어놓는 데 성공하였다. 우선 순수한 악의 인간을 만들어낸 것이다.

그럼 순수하게 선한 인격만을 가진 사람을 만들어낼 수는 없을까? 헨리 지킬을 그 선한 성질만을 모아놓은 사람으로 바꾼다면 어떨까? 그러나 그렇게 할 수는 없었다. 순수하게 선한 성질만을 가진 인간은 꺼낼 수가 없었던 것이다.

결국 내 실험은 반만 성공하고 반은 실패한 셈이 되어 버렸다.

헨리 지킬은 예전과 다름없이 선과 악이 뒤섞인 인간으로 생활했다. 내가 만든 약품은 악한 쪽에만 효과가 나타났던 것이다.

어째서 악 쪽에만 효과가 있었을까?

어쩌면 그 날 한밤중의 실험 때, 나의 선한 쪽의 정신보다는 악한 쪽의 정신이 더 강하게 작용하고 있었기 때문일 것이다.

평소에는 언제나 억눌려 있던 악한 쪽이 재빨리 기회를 틈타 몸 밖으로 튀어나온 것이었다.

이 무서운 실험에 성공했을 때, 나는 학자 생활에 점차 싫증을 느끼고 있었던 터라, 숨어서 악의 놀이를 즐기게 되었다. 이 약품 덕택에 선한 지킬의 생활과 악한 하이드의 생활을 동시에 해 나갈 수 있었던 것이다.

약을 먹기만 하면, 나에게서는 유명한 학자 헨리 지킬의 모습은 온데간데없이 사라지고 흉측한 모습의 에드워드 하이드가 되는 것이었다. 아무도 지킬과 하이드가 같은 인물이라고는 생각하지 못했을 것이다.

하이드가 되면 내가 헨리 지킬이라는 것을 알아보지 못했기 때문에 누구에게 들킬까 두려워 숨어서 행동할 필요가 없었다. 어깨를 펴고 당당하게 내 마음대로 행동할 수가 있는 것이다.

그래서 나는 계획을 세워 하이드와 지킬의 두 가지 생활을 즐기기로 하였다.

먼저 소호 거리의 집 한 채를 구했는데, 이 집은 경찰에게 발각되었던 그 집이다. 그 곳에 가구 등을 준비한 뒤에 전부터 알고 지내던 무뚝뚝한 나이 많은 여자를 가정부로 고용했다.

하인들에게는 실험실이나 저택을 하이드에게 자유롭게 쓸 수 있도록 하여, 무엇이든지 그 사람의 명령을 따르도록 일러두었다. 또한 하이드가 지킬의 집에 자주 오는 것을 하인들이 보고 지킬과 하이드가 서로 친하게 알고 지내는 것처럼 보이게 만들었다.

마지막으로 지킬 박사에게 안 좋은 일이 생기면 하이드로 살아갈 수 있도록 하기 위해, 지킬 박사의 모든 재산을 하이드가 물려받도록 유언장을 작성하여 어터슨에게 주었다.

모든 준비가 끝나자, 하이드로서의 생활은 이제 어떤 방해도 받지 않고 즐길 수 있게 되었다.

내 마음대로 행동하고 싶은 날에는 약을 먹고 하이드가 되어 밤의 런던 거리를 마음껏 돌아다녔다. 어떤 파렴치한 짓을 저질러도 지킬을 알아보는 사람은 한 사람도 없었기 때문에 거리낌없이 행동할 수 있었다.

하이드는 정말 제멋대로 행동했다. 그의 행동은 인격을 가진 사람이라고는 할 수 없는, 짐승 같은 행동과 다를 바 없었다. 남에게 폐가 되든 말든 전혀 상관하지 않고 자기가 바라는 대로 행동하는 것이다. 하이드는 피도 눈물도 없는 냉혹하고 잔인한 사나이였다.

언젠가는 길모퉁이에서 어느 소녀와 부딪쳤다. 하이드가 된 나는 소녀를 그냥 짓밟고 지나가 버렸다. 당연히 이것을 목격한 사람들의 분노를 샀다. 그 광경을 봤던 엔필드라는 사람이 자네의 먼 친척뻘 된다는 것은 얼마 전에 알았지만, 그와 의사, 그리고 그 소녀의 식구들은 모두 하나가 되어 나를 비난했다.

나는 그들을 달래기 위해 실험실의 뒷문까지 데리고 와 헨리 지킬의 이름으로 사인한 수표를 주었다.

그러던 어느 날, 나는 여느 때처럼 하이드가 되어 런던 시내를 자유롭게 돌아다니다가 밤늦게 집으로 돌아왔다.

밤새 악몽에 시달리다가 잠에서 깨어난 나는 평소와는 다른 기분이 들었다. 주위를 살펴보았지만 그 이유는 알 수가 없었다. 내 방이 아닌 다른 사람의 방 같았다.

침대에 앉아 사방을 둘러보다가 무심코 내 손을 보게 되었다. 헨리 지킬의 손은 모양도 크고, 하얀 피부를 가진 의사다운 손이었다.

그런데 내 눈에 띈 손은 바싹 말라 거칠기 짝이 없는데다가 푸르죽죽했으며, 검은 털이 잔뜩 나 있는 정말 보기 흉한 손이었다. 그것은 에드워드 하이드의 손이었던 것이다. 나는 놀라서 소리를 질렀다. 그리고는 그 손을 넋을 잃고 바라보기만 했다. 별안간 공포가 밀려들었다. 침대 곁에 있는 거울 앞으로 급히 갔다.

거울 속에 비친 내 모습을 보자 온몸의 피가 얼어붙는 것 같았다.

어떻게 된 일인가? 도대체 왜 이런 일이 생긴 것일까?

분명히 어젯밤에 지킬의 모습으로 잠들었는데, 밤새 하이드의 모습으로 다시 변해 버린 것이다.

하인들이 모두 다 일어나 있을 때늦은 아침이었다.

약품은 모두 실험실 안에 있었기 때문에 침실에서 계단을 내려가 복도를 지난 뒤 안뜰을 거쳐야만 했다. 거기다 교실을 지나 실험실에 딸린 내 방까지 가려면 상당한 거리였다. 하인들에게 들키지 않고 거기까지 가기는 어려운 일이었다.

그 때, 한 가지 생각이 떠올랐다. 하이드가 이 집을 드나든다는 것을 하인들도 알고 있다는 것을 생각해낸 것이다. 하이드가 이 시간에 안뜰을 가로질러 간다고 해도 하인들은 아무도 놀라거나 붙잡지 않을 것이다. 나는 옷을 재빨리 갈아입고는 하이드의 모습으로 방을 나와 실험실로 갔다.

10분 뒤, 나는 지킬 박사의 모습으로 되돌아와 아침식사를 하기 위해 식탁에 앉았다. 그러나 도저히 입맛이 나지 않았다. 이 뜻밖의 일로 나는 깊은 생각에 잠기게 되었다.

'약을 먹지도 않았는데 다시 하이드의 모습으로 바뀌다니 대체 어떻게 된 일일까?'

마음이 몹시 불안했다.

지금처럼 계속 지킬의 생활과 하이드의 생활을 같이 해 나가다가는 어떤 일이 생길지 염려스러웠다.

게다가 마음대로 내 모습을 바꿀 힘이 없어져 결국 악쪽의 인간, 즉 에드워드 하이드의 모습만이 나의 전부가 되어 헨리 지킬의 모습은 이 세상에서 영원히 사라져 버릴지도 모르는 일이었다.

걱정은 시간이 지날수록 점점 깊어만 갔다. 왜냐하면, 점점 약의 효력이 언제나 똑같을 것이라는 확신이 서지 않았기 때문이었다.

한번은 약의 효력이 전혀 나타나지 않아서 양을 2배로 늘린 적도 있었다. 심지어는 죽을지도 모른다는 염려를 하면서도 3배까지 양을 늘리기도 했다. 양을 늘리지 않으면 지킬에서 하이드로 잘 바뀌지 않았던 것이다.

그런데 이 날은 평소와는 정반대의 일이 일어난 것이다. 하이드에서 지킬로 바뀌지 않았다는 것은 하이드 쪽이 나의 모습이 되기 시작했다는 징조라고 할 수 있는 것이다.

이렇게 무서운 약품을 만들어낸 내 자신이 무서워졌다. 내가 저주받을 운명을 만들어낸 것만 같았기 때문이다.

지킬을 택할 것인가? 아니면, 하이드를 택할 것인가?

악한 성질의 유혹에 이기지 못해 하이드를 택하게 된다면 이제까지 내가 쌓아온 사회적 명성과 지위, 그리고 오랫동안 사귀어온 나의 친구들과의 우정이 모두 물거품이 되고 말 것이다.

그러나 지킬을 택하게 된다면, 이제까지 내가 즐겨온 하이드로서의 은밀한 생활을 누릴 수 없게 된다.

드디어 나는 결심했다.

선한 성질의 지킬 박사로 남아, 무미 건조한 학자로서의 생활을 하기로 한 것이다.

하이드의 승리

나는 더 이상 악한 성질의 하이드로서의 생활은 하지 않았다. 그리하여 거의 2개월 동안 예전의 지킬 박사로 되돌아와 규칙적인 생활을 하고 친구들과 저녁을 함께 하며 시간을 보냈다.

다시는 하이드가 되지 말자고 결심을 한 나였지만, 하이드의 집이라고 할 수 있는 소호 거리의 집도 그대로 두었고, 하이드의 옷도 버리지 않았다. 아마도 내 마음 한구석에는 다시 하이드가 되고 싶은 욕망이 숨어 있었기 때문이었을 것이다.

그러던 어느 날, 나는 약을 만들어 마시고 다시 하이드로 변했던 것이다. 나는 결국 하이드에게 지고 만 것이다.

나는 그 순간까지도 하이드가 무섭고 잔인한 악한 성질의 인간이라는 것을 잊고 있었다.

내 안에 있던 악한 성질은 오랫동안 갇혀 있었기 때문인지 약을 마신 순간, 무서운 신음 소리를 내면서 뛰쳐나왔다. 그리고 악을 향하여 맹렬히 돌진해 나갔다.

하이드가 되어 런던의 밤거리를 마음대로 돌아다니다가 템스 강가에서 어느 노신사와 마주쳤다. 그 신사는 나에게 공손하게 무엇인가를 물었다. 그 순간, 나는 내 속에서 악한 마음이 일어나는 것을 억제할 수 없었다.

갑자기 손에 들고 있던 지팡이로 그 노인을 마구 때리기 시작했다. 아무 저항도 하지 못하고 있는 노인의 몸을 때릴 때마다 나는 그 무엇과도 비교할 수 없는 통쾌함을 맛볼 수 있었다.

지팡이가 두 동강이 나 버리자, 나는 고통에 몸부림치는 노인을 발로 짓밟았다.

순간 차디찬 공포가 몰려들었다. 정신을 차리고 난폭한 짓을 그만두었을 때 나는 몹시 지쳐 있었다. 그리고 짐승 같은 끔찍한 행동으로 내가 저지른 일을 보며 급히 소호 거리의 집으로 도망쳤다.

그 곳에 도착하자마자 나는 신분이 드러나지 않도록 서류를 꺼내 모조리 불태워 버린 후, 가로등이 비치는 거리로 나가 콧노래까지 부르며 유쾌한 기분으로 런던 거리를 거닐었다.

들뜬 기분으로 거리를 거닐면서도 누군가에게 들킬까 봐 주위를 경계하는 것을 잊지 않았다.

집으로 돌아온 하이드는 작은 방으로 얼른 들어가 지킬 박사의 모습으로 바꾸기 위해서 약을 만들었다. 하이드는 승리감에 도취되어 휘파람을 불었다. 몸이 찢어지는 듯한 고통이 지난 후 다시 헨리 지킬로 돌아온 나는 곧 후회의 눈물을 흘리며 신께 용서를 빌었다.

그러는 동안 내 눈앞에는 어린 시절부터 지금까지의 일생이 떠올랐다.

아버지의 손을 잡고 아장아장 걸어다니던 해맑은 아기의 때부터 괴로운 공부에 파묻혀 지내던 연구 생활, 그리고 그날 밤의 일. 도무지 아무것도 실감이 나지 않아 나는 큰 소리로 울부짖었다. 마음속 깊은 후회를 하고 난 뒤에 새로운 결심을 했다.

'이런 무서운 범죄를 또다시 저질러서는 안 된다. 이제 더 이상 하이

드가 되지 말자. 내가 바라든 바라지 않든 헨리 지킬로 살아가야 한다.'

나는 신께 구제라도 받은 듯한 기분이었다. 결심을 곧 행동으로 옮기기 시작했다. 실험실로 통하는 뒷문을 잠그고, 그 열쇠도 돌 위에 던져 짓밟아 버렸다.

다음 날 아침이 되자, 밤새 일어난 그 살인 사건의 현장을 어느 여인이 목격했다는 것, 그리고 범인은 하이드이며, 피해자가 신분 높은 유명한 신사라는 것 등이 신문에 보도되었다.

더 이상 하이드의 모습을 하고 밖으로 나갈 수가 없었다. 붙잡히면 분명 교수형에 처해질 것이 확실했다. 이제는 지킬의 모습으로 살아가야만 했다.

이번에야말로 지난날의 죄를 씻고 좋은 일을 하며 올바르게 살아야겠다고 결심했다.

지난해의 마지막 2, 3개월 동안, 내가 어려운 이웃들을 위해 얼마나 많은 자선 활동을 했는지 자네도 잘 알겠지.

나는 실험실 속에만 틀어박혀 있던 생활에서 벗어나 다시 친구들과 어울리며 즐겁게 생활했다. 손님을 초대하기도 하고, 초대된 집을 방문하기도 했다.

그러나 시간이 지날수록 나는 또다시 하이드의 생활을 하고 싶은 내부로부터의 유혹에 괴로워했다. 물론 그 때쯤에는 이제 하이드가 되고 싶은 생각은 전혀 없었다. 그는 이미 전 영국에 지명 수배된 범죄자여서 하이드가 되는 것은 목숨을 내던지는 것과 다름이 없었기 때문이다.

그러던 1월 어느 날이었다. 서리가 녹아서 땅은 질퍽거렸지만, 하늘은 구름 한 점 없는 파란 하늘이 가득 펼쳐져 있었다.

리젠트 공원은 새들의 지저귐으로 가득했다. 나는 따뜻한 햇살이 비치는 벤치에 앉아 한가롭게 햇볕을 즐겼다.

그런데 금방이라도 쓰러질 것처럼 현기증이 일고 구역질이 났다.

먹은 것까지 모두 토해 버리고 나자, 몸이 와들와들 떨리기 시작했다. 나는 곧 정신을 잃고 말았다.

시간이 흐른 뒤 정신을 차린 나는, 전과는 다른 기분을 느꼈다. 따뜻한 햇살 속에 평화로웠던 느낌은 간 데 없고 매우 거친 기분이 드는 것이다.

고개를 숙이고 아래를 바라보던 나는 내 몸이 아주 작게 오므라들어 있는 것을 발견했다. 그리고 조금 전까지는 내게 잘 맞았던 옷이 갑자기 커진 듯 헐렁헐렁하게 축 늘어져 있었다. 무릎 위의 손도 털투성이로 변해 있었다.

나는 다시 하이드로 돌아가 버린 것이다.

바로 조금 전까지만 해도 세상 사람들의 존경을 한몸에 받았던 헨리 지킬이 지금은 세상 사람들의 증오의 대상인 살인범 에드워드 하이드가 되어 있었다.

나는 당황했다.

'어떻게 하지? 침착하자. 정신을 가다듬고 좋은 방법을 생각해 보자. 서둘러 헨리 지킬로 돌아가야 해. 하지만, 여기는 공원이고 약품들은 실험실의 유리장 속에 들어 있으니……. 그것을 무슨 수로 꺼낸다지?'

나는 정말 어찌해야 좋을지 난처하기만 했다.

'실험실의 뒷문 열쇠도 가지고 있지 않다. 만일 현관을 통해서 집으로 들어간다면 하인들은 분명히 살인범 하이드가 왔다고 경찰에 신고해 버릴 것이다.'

결국 나는 다른 사람을 시켜서 약을 가져오게 할 수밖에 없다고 결정을 내렸다.

'그런데 누구에게 부탁을 해야 할까? 레니언에게 부탁해 볼까? 그래, 레니언이 좋겠어. 하지만 레니언이 내 부탁을 들어줄까? 나는 지금 이렇게 하이드의 모습을 하고 있는데, 레니언을 찾아가 부탁을 한들 전혀 본 일도 없는 사람의 부탁으로 헨리 지킬의 집까지 가려고 하지는 않을 거야. 아, 어떻게 한다? 그렇다. 그는 내 글씨체를 알고 있어. 편지를 보내면 되겠군. 그럼 내 부탁이라는 것을 알게 될 거야.'

나는 계획을 세우기 시작했다. 하이드의 모습으로 거리를 돌아다닐 수는 없었다.

먼저 헐렁헐렁한 옷을, 다른 사람들에게 이상하게 보이지 않도록 몸에 맞게 여민 다음, 지나가는 마차를 불러타고 포틀랜드 거리의 어느 호텔로 달리게 했다.

내 모습을 본 마부는 자꾸만 웃음을 터뜨렸다. 나는 얼굴이 달아올라 무서운 표정으로 마부를 노려보았다. 순간, 마부의 얼굴은 새파랗게 질렸다.

만약 마부가 웃음을 멈추지 않았다면, 나는 그에게 무슨 일을 저질렀을지도 모른다.

지킬 박사의 마지막

얼마 후, 마차는 호텔에 도착했다. 흉측한 모습을 하고, 무서운 얼굴 표정으로 호텔 안으로 들어서니 종업원들은 벌벌 떨며 나의 명령을 따랐다. 나는 그들에게 먼저 조용한 방으로 안내해 달라고 한 뒤, 편지를 쓸 수 있도록 준비해 달라고 말했다.

나는 두 통의 편지를 썼다.

한 통의 편지는 레니언 앞으로, 다른 한 통은 폴 앞으로 보내는 편지였다. 편지를 등기로 보내달라고 종업원들에게 부탁하고는 방 안에 앉아 밤이 되기를 초조하게 기다렸다.

밤이 되어 거리가 완전히 캄캄해지자, 호텔을 나와 마차를 불러 타고 런던 거리를 여기저기 달리며 방황했다. 그러다 문득 마부가 나를 자꾸 힐끗거리며 수상하게 여기는 것을 알았다. 어쩔 수 없이 용기를 내어 마차에서 내렸다. 그리고는 사람들이 많이 다니는 길을 걸었다. 나의 헐렁헐렁한 옷차림 때문에 사람들이 쳐다보아서, 사람이 드문 길을 찾아다니며 숨듯이 걸어야만 했다.

거리의 여기저기를 돌아다니며 밤12시가 되기를 기다렸다.

성냥팔이 소녀가 나에게 말을 걸며 성냥을 사라고 내밀었다. 내 안에서 다시 두려움과 증오심이 일어나는 것을 느끼고는 성냥팔이 소녀의 뺨을 한 대 갈겼다. 소녀는 비명을 지르며 달아났다.

자정이 되었을 때, 나는 레니언의 집으로 갔다. 그 곳에서 나는 겨우 약품을 구할 수 있었다.

그러나 내가 오랜 친구 레니언에게 얼마나 무서운 공포를 주었던가!

그에게 너무나 미안했지만, 내가 느낀 공포에 비하면 아무것도 아니라는 생각이 들었다.

그는 나를 비난했으나 나는 그저 멍하니 듣고만 있었다.

곧장 집으로 돌아와 잠자리에 들었다. 하루 종일 너무 긴장하고 지쳐 있었기 때문에 침대에 눕자마자 곧 깊은 잠에 빠져들었다.

다음 날 아침, 잠에서 깨어나자마자 어젯밤의 일이 떠올라 두려움에 온몸이 떨릴 만큼 몹시 불안했다. 어제처럼 언제 다시 하이드로 변해버릴지 알 수가 없었기 때문이다.

'그러나 여기는 내 집이고 약품도 실험실 안에 가까이 있다. 밖으로 나가지 말고 집 안에만 있자. 그러면 어제와 같은 위험한 일은 다시 일어나지 않을 것이다. 아무튼 어제는 무사히 지나갔어.'

이렇게 생각하자, 나는 어제의 일에 대해 감사하는 마음이 생기며 마음이 다시 평온해졌다.

아침식사를 하고 정원을 거닐면서 신선한 아침 공기를 들이마시고 나니, 기분이 무어라 말할 수 없을 정도로 상쾌했다.

그런데 갑자기 또다시 기분이 거칠어지며, 모든 것에 화가 나고 싫은 감정이 되살아났다. 그것은 분명 하이드로 변하려고 할 때 나타나는 감정이었다.

깜짝 놀라 급히 실험실로 달려갔다. 몸은 벌써 하이드로 바뀌어 있었다. 다시 지킬로 돌아오기 위해 나는 평소보다 2배나 많은 양의 약을 마셔야만 했다.

그러나 편한 마음으로 난롯가에 앉아 있으려니, 6시간쯤 뒤에 다시 심한 고통이 느껴졌다. 그리고는 약도 먹지 않았는데 다시 하이드로 변하고 말았다. 또다시 지킬 박사로 돌아오는 약을 먹어야만 했다.

그 날 이후부터 나는 매일 약을 먹으며 지킬의 모습을 지키기 위해 노력했지만, 밤낮으로 하이드로 변해 버릴 두려움에 시달려야만 했다. 게다가 잠을 자고 아침에 일어나거나, 의자 위에서 잠깐만 졸고 난 뒤에도 반드시 하이드로 변해 있었다.

때문에 잠을 잘 수가 없었다. 될 수 있으면 잠을 자지 않으려고 애쓰고, 인간으로서 할 수 있는 한계점까지 잠을 자지 않으려고 견뎌냈다.

수면 부족과 끊임없는 긴장 때문에 나는 마침내 병이 들고 말았다. 몸도 지치고 마음도 쇠약해져만 갔다.

나의 머릿속에는 오직 한 가지 생각밖에 떠오르는 것이 없었다. 그것은 따로 떼어놓은 악의 모습, 에드워드 하이드에 대한 공포였다.

지킬의 힘이 약해져감에 따라 오히려 하이드의 힘이 더 강해지기 시작하는 것 같았다. 마침내 내 안에 있던 악의 힘이 선의 힘보다 강해진 것이다.

지금까지 살아오면서 선은 언제나 악을 누를 수 있었다. 그러나 이제 내 마음의 선은 더 이상 악을 누를 힘이 없었다.

얼마 후면 악의 모습은, 내 마음속에 있던 선한 모습을 모두 밀어내고 완전히 내 육체를 점령해 버릴 것이다. 헨리 지킬은 마침내 영원히 에드워드 하이드가 되어 버리는 것이다.

여기까지 생각이 미치자, 나는 소름이 끼치고 두려움과 공포에 떨어야만 했다. 이런 내 자신이 또한 너무나 싫어졌다. 결국 하나의 결정을 내리게 되었다. 지킬 박사로서의 나의 생을 마감하기로 한 것이다.

그러나 하이드를 생각하면 불쌍한 마음이 들었다. 너무나 무서운 사람이라는 생각을 하면서도 애착이 가는 것이었다. 지킬인 내가 죽어 버리면 하이드도 죽게 되고 말 것이라는 생각이 하이드에게 동정심을 가지게 하였다.

나는 실험을 계속 반복하였다.

처음에 이 실험을 시작한 이후로는 약품의 원료를 사놓지 않아서 이제는 원료가 거의 바닥났다. 그래서 폴에게 종이 쪽지를 통해 약품을 사오도록 했다. 그렇게 사온 원료들을 섞어 다시 약품을 만들고는 했다.

약품들은 연기를 내면서 끓어오르고, 얼마 후에 첫 번째 색으로 바뀌는 변화가 일어났다. 그러나 두 번째 색으로 바뀌는 변화는 일어나지 않았다.

나는 몹시 당황했다. 혹시나 하고 그 약을 마셔 보았지만, 내 몸에는 아무런 변화도 일어나지 않았다.

그 후, 나는 폴에게 런던 시내의 약국들을 모두 돌아다니게 했다. 이

에 대한 것은 폴이 좀더 자세하게 이야기할 것이다.

그러나 아무런 도움이 되지 않았다. 이제야 알게 된 사실이지만, 처음에 산 약품에는 어떤 불순물이 섞여 있었던 것이다. 그 무엇인지 알 수 없는 불순물이 그렇게 무서운 효력을 낼 수 있는 약을 만들어준 것이다.

그 일이 있고 일주일이 지난 지금, 나는 전에 만들어 두었던 약을 마시고 이 고백서를 끝마치려고 한다.

지킬 박사로서의 생각과 이야기는 이것으로 마지막이 될 것이다. 그리고 지금 거울에 비치고 있는 지킬 박사의 모습도 영원히 볼 수 없게 될 것이다.

이제, 약 반 시간 후면 그 무섭고 소름끼치는 하이드의 모습으로 영원히 변한다. 이번에 다시 악마와 같은 하이드로 변한다면, 다시는 지킬 박사로 돌아올 수 없을 것이다. 그 동안 사람들에게서 존경받았던 지킬이 아닌, 모든 사람들이 두려워하고 미워하며 불쾌해하는 하이드로 죽어 가야 하는 나 자신이 너무나 불쌍하고 비참했다.

두렵다!

나의 모습이 하이드로 변하게 되면 나는 고통 속에서 몸부림치며 슬피 울고 말 것이다.

이러한 나의 고통을 누가 알고 동정해줄까?

사람은 이 세상에 태어난 모습 그대로 살아가야 함을 깨달았다. 밖에서 들리는 사람들의 발소리에 마음은 더욱 초조해진다.

무서운 불안과 공포감에 떨며 나의 마지막 안식처인 방 안을 미친 듯이 서성거린다.

하이드는 이제 사형대 위에서 최후를 마치게 될 것인가? 아니면, 마지막 순간에 이 지옥 같은 고통에서 벗어나기 위해 스스로 목숨을 끊을 것인가?

나는 이제 모든 것을 포기해 버리고 싶을 뿐이다. 죽음을 각오했기 때문에 마음은 그 어느 때보다 편안하고 자유롭다.

지금부터 나에게 어떤 일이 일어난다고 해도 나와는 상관없는 일이다.

이제 펜을 놓으며, 불행한 삶을 살다 간 헨리 지킬의 일생에 마침표를 찍는다.

비밀의 화원

버 넷

지은이

1849 ~ 1924년. 영국 맨체스터 출생. 1865년에 미국으로 건너가 생계를 위해서 글을 쓰기 시작하였다. 천부적인 스토리텔러의 재능을 발휘하여 1888년에 〈소공자〉와 〈소공녀〉를 발표, 작가로서의 명성을 얻게 되었다. 이후 1909년에는 우리에게 잘 알려진 〈비밀의 화원〉을 발표하였다. 버넷은 당시 미국의 청교도적 사회규범에 대한 반발로서 요구되었던 감상주의적인 꿈이 담긴 작품을 많이 썼으며, 어린이뿐만 아니라 어른 사이에서도 많은 독자를 확보하였다.

비밀의 화원

새로운 생활

메리 레녹스는 아홉 살이 될 때까지 인도에서 살았다. 아주 어렸을 적부터 자주 병을 앓았던 메리는 깡마른데다 얼굴을 늘 찡그리고 있었다. 그런 메리를 보고 사람들은 저마다 심술궂게 생겼다고 수군거리곤 했다.

그건 어쩌면 부모님의 사랑을 못 받아서인지도 몰랐다. 아버지는 영국 정부의 관리로 늘 바빴고, 어머니는 뛰어난 미모로 사람들과 어울리는 데에만 관심이 있었다. 그들은 인도인 유모에게 메리를 맡긴 채 따뜻한 부모님의 사랑을 느낄 수 있는 기회를 주지 않았던 것이다.

이를 딱하게 여긴 유모는 무엇이든 메리가 원하는 대로 해 주었고 마치 메리를 공주님처럼 대했다. 그래서인지 메리는 점점 자랄수록 고집불통의 심술쟁이가 되었다.

그러던 어느 날, 메리의 나이가 아홉 살이 되었을 때 인도에 콜레라가 유행하였다. 갑작스럽게 퍼진 콜레라는 메리의 집까지 휩쓸었다. 한꺼번에 아버지, 어머니를 모두 잃은 메리는 이제 고아나 다름이 없었지만 슬퍼할 줄 몰랐다.

얼마쯤 시간이 흐른 후에, 메리는 아버지 친구의 도움으로 영국인 목사의 집에 머물게 되었다. 고집불통의 심술쟁이와는 아무도 같이 놀려고 하지 않았기 때문에 메리는 또다시 외톨이가 되었다.

그러나 다행스럽게도 영국인 목사의 집에서는 오래 머물지 않아도 되었다. 마침 영국으로 아이들을 데려가기 위해 온 장교 부인이 있었기 때문이었다. 메리는 따돌림만 당하던 목사의 집을 떠나 장교 부인과 함께 영국으로 향하는 배에 올랐다.

메리가 영국의 고모부 댁으로 가게 된 것은 그렇게 해서였다.

오랜 항해를 마치고 메리가 런던에 도착했을 때, 고모부 댁의 가정부인 메들록 부인이 마중을 나왔다. 메들록 부인은 평소 아이들을 좋아하지 않았지만 이번에는 약간 기대에 부풀어 있었다. 왜냐하면, 곧 만나게 될 메리의 어머니가 뛰어난 미인이었다는 소문을 그녀 또한 들었기 때문이었다.

그러나 메리를 처음 본 순간 메들록 부인은 크게 실망하고 말았다. 기대와는 달리 비쩍 마른데다 얼굴도 너무 못생겼기 때문이었다. 메리 역시 실망스럽긴 마찬가지였다. 뚱뚱한데다 차가운 눈빛을 가진 메들록 부인이 도무지 마음에 들지 않았던 것이다.

처음부터 실망만 했던 메리는 요크셔로 향하는 기차를 탄 뒤에도 말한 마디 하지 않았다. 그러자 할 수 없이 메들록 부인이 먼저 말을 걸었다.

"아가씨가 오늘부터 계실 곳에 대해서 조금이라도 알고 계세요?"

"아뇨."

"얘기해 두는 편이 좋을 것 같군요. 나중에 놀랄지도 모르니까."

메리는 뽀로통한 채 더 이상 입을 열지 않았다.

"그 집은 넓은 들판에 외따로 떨어진 곳에 있어요. 지은 지 600년 정도 되는 무척 오래된 집이지요. 방이 100개나 되지만 거의 쓰지 않고

집 주위에는 넓은 정원이 몇 개나 된답니다."

메들록 부인은 이어서 말했다.

"성미가 괴팍한 주인님은 많은 재산을 가졌지만, 하루하루의 생활에
별 기쁨을 느끼지 못하고 지내지요. 등이 굽어서 마음도 굽으셨는
지……."

메들록 부인의 이야기가 길어질수록 메리는 흥미로웠다. 메들록 부인
역시 메리가 자신의 말에 귀를 기울이고 있다는 걸 눈치채고는, 자기도
모르게 신이 나서 떠들기 시작했다.

"부인은 참으로 우아하고 아름다운 분이었지요. 그러나 결혼한 지 얼
마 되지 않아 세상을 떠났어요. 그 때부터 주인님은 더욱 괴팍해져서
좀처럼 사람을 만나고 싶어하지 않으십니다."

메리는 오늘부터 지내게 될 곳에 대한 이야기들이, 마치 동화책 속에
서만 보아왔던 이야기 같아 무척 흥미로웠다. 메들록 부인은 마지막으
로 말했다.

"그 집에 가면 아가씨가 꼭 주의해야 할 것이 있어요. 절대로 혼자서
집 안을 돌아다니지 않아야 한다는 겁니다. 주인님은 그것을 제일 싫
어하시니까요."

창 밖에는 어느덧 비가 내리고 있었다. 메리는 점점 거세게 흘러내리
는 빗방울을 보며 생각했다.

'들판의 오래된 집, 자물쇠가 채워져 있는 수많은 방, 거기에 사는 괴
팍하고 등이 굽은 아저씨, 그 곳은 어떤 곳일까……?'

어느 틈엔가 메리는 잠이 들고 말았다.

미슬드웨이트의 작은 역에 도착했을 때 거리에는 이미 어둠이 깔려
있었다. 마차는 어둠을 가르며 8킬로미터나 되는 들판을 달리고 또 달

렸다. 그러고 나서 낮은 언덕길에 이르렀을 때 비로소 저 멀리 불빛 한 점이 보이기 시작했다. 하지만 거기가 끝이 아니었다. 그 불빛을 지나 또다시 가로수길을 한참 동안 달린 후에야 쇠빗장이 채워진 큰 집이 나타났고, 마차가 멈춘 곳은 바로 거기였다.

빗장을 벗기고 들어선 넓은 현관 한쪽에는 낡은 갑옷과 창이 놓여 있었고, 벽에는 초상화 몇 점이 걸려 있었다. 눈을 동그랗게 뜨고 두리번거리는 메리 앞에 점잖은 노인 한 사람이 나타나 메리를 맞이했다. 아무 말도 없이 노인은 메리에게 가벼운 목례를 했다.

메들록 부인은 넓은 계단과 긴 복도를 지나, 문이 열린 방 앞에까지 메리를 안내했다. 메리가 방에 들어서자 뜻밖에도 난로에 불이 지펴져 있었고, 게다가 탁자에는 먹음직스러운 음식들이 차려져 있었다.

"자, 이 방이 아가씨가 지낼 방이랍니다."

메들록 부인의 말에 메리는 눈이 휘둥그레졌다.

"너무 마음에 들어요!"

메리가 기쁜 나머지 환호성을 지르자, 메들록 부인은 엄한 표정을 지었다.

"하지만 다른 방엘 가거나 복도 이곳 저곳을 돌아다니면 안 됩니다. 주인님이 무척 싫어하시니까 말이에요."

메들록 부인은 거듭 당부를 하고 난 뒤에야 방을 나갔다.

드디어 혼자 있게 된 메리는 방 안을 둘러보았다. 자신이 발을 딛고 있는 이 곳이 지금부터 자기가 지내게 될 곳이라고 생각하자, 메리의 마음은 한없이 들떴다.

메리의 새로운 생활이 시작되는 순간이었다.

다음 날 아침, 메리는 부스럭거리는 소리 때문에 잠에서 깨어났다. 하녀가 난롯가에 서서 재를 헤치고 있었다. 메리는 고개를 돌려 창 밖을 바라보았다. 거기에는 푸른 들판이 끝없이 펼쳐져 있었다.

"저건 뭐지?"

메리는 하녀 마사에게 물었다. 그렇게 넓은 들판을 메리는 한 번도 본 적이 없기 때문이었다.

"저것은 들판이에요. 갖가지 향기로운 꽃이 피어 있고, 맑게 우는 새들이 날아다니는 곳이지요."

하녀 마사는 웃으며 말했다. 메리는 인도의 하녀와는 다른 태도로 말하는 마사를 새삼스럽게 바라보았다.

"그럼 네가 오늘부터 내 시중을 드는 거야?"

메리의 말투에는 인도에서의 습관이 그대로 배어 나왔다.

"저는 이 집의 하녀니까 아가씨의 시중도 들게 되겠지요. 별거 아니겠지만."

"그렇다면 내 옷을 입혀 줄 사람도 너겠구나?"

당연한 것처럼 말하는 메리를 마사가 어이없게 바라보며 말했다.

"옷은 당연히 아가씨가 입어야죠. 자기의 일은 자기가 스스로 하는 게 좋아요."

"인도에서는 그렇지 않았어!"

문득 인도에서의 생활이 생각난 메리는, 달라진 자신의 처지에 화가 나서 그만 울고 말았다.

"아가씨, 울지 말아요. 제가 아무것도 몰라서 그랬답니다. 용서하세요."

마사는 메리를 달래며 옷을 입혀 주었다. 하지만 이렇게 옷까지도 남이 입혀 주길 원하는 아이를 도무지 이해하기 힘들었다.

옷을 입은 메리는 한술 더 떠서 이번에는 발까지 마사 앞에 내밀었다. 마사는 더는 못 참겠다는 듯이 말했다.

"아가씨, 여기는 인도가 아니에요."

메리는 마사의 말에 꽤 큰 충격을 받았다.

'그래, 여긴 인도가 아니지. 인도에서의 생활과는 모든 것이 변했어. 그리고 난 이제 아홉 살이나 되었잖아? 내가 할 수 있는 일은 이제부터 내가 해야지.'

마사 덕분에 메리는 자신을 되돌아볼 수 있었다.

"우리는 형제가 12명이나 된답니다. 아버지의 벌이가 좋지 않아서, 대신 어머니께서 고생을 많이 하시지요. 동생들은 하루 종일 들판에서 뒹굴며 놀아요. 디콘이란 동생은 열두 살인데 동물을 무척 좋아하지요. 어디선가 데려온 망아지 한 마리를 돌봐 주고 있어요."

이제까지 다른 사람에 대해 관심이 없었던 메리였지만, 마사의 이야기는 재미가 있었다. 그 중에서도 디콘이란 아이는 특히 메리의 호기심을 끌었다. 메리는 언젠가 디콘이란 아이를 꼭 한 번 보고 싶다고 생각하며 옆방으로 향했다.

메들록 부인이 사용해도 좋다고 한 옆방에는 먹음직스러운 아침식사가 차려져 있었다. 하지만 메리는 먹고 싶은 생각이 없었다.

"먹고 싶지가 않아."

"그러지 말고 조금만 먹어 봐요."

메리는 할 수 없이 약간의 빵을 홍차와 함께 먹었을 뿐이다.

"이제 옷을 든든히 입고 밖에 나가 놀아요. 기분이 좋아질 거예요."

메리는 혼자서 밖으로 나간다는 것이 두렵기도 했지만, 마사의 동생들처럼 들판에서 뛰어 노는 것도 나쁘지 않을 것 같았다. 메리는 옷을 갖추어 입고는 마사를 따라 아래층으로 내려갔다. 현관에 서서 마사는 조심스럽게 말을 꺼냈다.

"울타리 한가운데 있는 조그만 문을 돌아가면 정원이 보여요. 그 곳뿐만 아니라 어디서든 놀아도 상관없지만, 자물쇠로 문이 채워진 화원에는 절대 들어가시면 안 됩니다."

"그건 왜 그렇지?"

"그 곳은 돌아가신 마님이 특별히 아끼시던 화원이었어요. 주인님은 마님이 돌아가시자, 화원의 문을 잠근 뒤에 열쇠를 땅에 묻어 버렸대요."

'잠겨 있는 방이 100개나 되는 집, 거기다 10년 동안이나 닫혀 있는 화원. 정말 이상한 집이야.'

메리는 이런 생각에 고개를 갸우뚱하며 마사가 가르쳐 준 길을 따라 걸어갔다.

의문이 가득한 집

울타리 가운데 있는 문을 열자 꼬불꼬불하게 이어진 산책길이, 고르게 다듬어진 잔디와 아무것도 피어 있지 않은 쓸쓸한 화단 사이로 이어져 있었다.

메리는 마사가 말한, 문 닫힌 화원이 보고 싶은 마음에 걸음을 멈추지 않았다. 그렇게 한참을 가다 보니 담쟁이덩굴에 덮인 초록빛 문이 보였다. 메리는 그 문을 열고 안으로 성큼 들어섰다. 거기에는 채소밭이 잘 가꾸어져 있었고, 담 한쪽에는 과일 나무가 심어져 있었다.

그 때, 초록빛 문이 열리고 무뚝뚝한 표정의 할아버지가 들어왔다. 메리는 잠시 놀랐지만 곧 할아버지에게 말을 걸었다.

"여긴 뭘 하는 곳이죠?"

"보다시피 채소밭이지."

퉁명스러운 할아버지의 대답에 할말을 잃은 메리는 하는 수 없이 그곳을 나왔다. 여러 개의 초록빛 문을 지나는 동안 메리는 과수원을 보기도 했고 채소밭을 보기도 했다. 그러다가 높은 나뭇가지 끝에 앉아 있는 새 한 마리를 발견하였다. 새도 메리를 본 모양인지 말을 거는 듯 노래를 불렀다.

메리는 지저귀는 새소리를 들으며 생각했다.

'어쩌면 저 새가 노래하고 있는 곳이 비밀의 화원일지도 몰라.'

이런 생각이 들자 메리는 비밀의 화원이 보고 싶어서 견딜 수가 없었다. 그래서 다시 할아버지가 일하던 채소밭으로 돌아갔다. 할아버지는 거기에 있었지만, 이제는 아예 메리를 본 척도 하지 않았다. 그러나 메리는 포기하지 않고 할아버지에게 말을 걸었다.

"할아버지, 저 빨간 새가 있는 곳에 가 보고 싶어요."

메리의 말이 끝나자 할아버지는 뜻밖에도 미소 띤 얼굴로 메리를 바라보았다. 그리고는 새가 있는 쪽을 향해 휘파람을 불었다. 신기하게도 새는 할아버지 바로 옆에 있는 사과나무 가지 끝에 앉았다.

"오, 왔구나."

할아버지는 마치 사람을 대하듯 새에게 정답게 말했다. 새는 이미 오래 전부터 할아버지에게 길들여진 듯했다. 눈을 동그랗게 뜬 새는 정말로 할아버지와 이야기를 나누는 것 같았다. 참다못한 메리가 말했다.

"그 새 이름이 뭐예요?"

"새 중에서도 사람을 가장 잘 따르는 방울새란다."

"그럼 할아버지가 부르면 언제든 그렇게 날아오나요?"

"그렇고말고. 언제든지 오지."

"방울새는 엄마, 아빠가 있을까요?"

"그건 나도 모르지. 하지만 방울새는 자기가 외롭다는 걸 아는 것 같아.”

“저도 외로워요, 할아버지.”

할아버지는 괭이를 놓고 메리를 유심히 보았다.

“네가 바로 인도에서 온 아이냐?”

메리는 천천히 고개를 끄덕였다.

“많이 외롭겠구나.”

“할아버지의 이름은 뭐예요?”

“벤 웨더스태프란다.”

할아버지는 씽긋 웃으며 말했다.

“나도 너처럼 외롭단다. 사람은 누구나 그렇지. 우린 둘 다 서로 닮은 데가 있는 것 같구나. 비뚤어진 성격도 비슷한 거 같고 말이야.”

할아버지의 말이 마사의 말처럼 메리의 가슴에 와 닿자, 이번에는 우울해지고 말았다. 그런데 어느 틈에 방울새가 메리 곁에 와 있었다. 놀란 메리는 할아버지를 바라보았다. 할아버지는 다시 씽긋 웃으며 말했다.

“아가씨와 친구가 되고 싶은가 봐.”

“저하고요?”

메리는 할아버지의 말에 너무나 기뻤다. 방울새와 친구가 되고 싶은 마음은 메리도 마찬가지였다. 메리는 나무 아래로 얼른 다가갔다. 이런 메리의 마음을 알아차리기라도 한 듯 방울새는 아름답게 노래를 불렀다. 그리고 곧 과수원 저편의 화원으로 날아갔다.

“방울새가 문도 없는 화원으로 날아갔어요!”

메리가 놀라 소리쳤다.

“그놈이 알에서 깨어 나온 곳도 거기란다. 그 곳을 무척 좋아해.”

“닫혀진 저 화원으로 들어가는 문은 없나요?”

할아버지의 표정이 갑자기 시무룩해졌다.

"10년 전에는 있었지만 지금은 없어. 그리고 아가씨는 이 부근을 함부로 돌아다녀선 안 돼요."

메리는 다정했던 할아버지의 목소리가 엄해진 것을 느꼈다. 그러자 비밀의 화원에 가고 싶은 마음이 또다시 용솟음쳤다.

밖에 나가 놀기 시작하면서 메리는 몰라보게 건강해졌다. 얼굴에는 서서히 핏기가 돌기 시작했고 눈에서 초롱초롱 빛이 났다. 게다가 사흘쯤 지난 아침에는 그 동안 거들떠보지도 않던 수프를 다 먹기도 했다. 메리 자신도 놀라웠다.

그 날도 메리는 식사를 마친 후 정원으로 나가 거닐었다. 그러다가 높은 담으로 둘러싸인 화원 옆에 이르렀는데, 그 곳에는 여전히 담쟁이 덩굴이 얽혀 있었다. 무심코 지나치려던 메리는 뭔지 모르게 이상한 생각이 들어 담쟁이덩굴을 전체적으로 살펴보았다. 그런데 유독 한 지점의 담쟁이덩굴이 손질되지 않은 채 내버려져 있었다. 메리는 아무렇게나 자라 있는 빽빽한 담쟁이덩굴이 아무래도 수상쩍었다.

'어쩌면 이 곳이?'

그 때였다. 방울새가 메리 앞을 가로지르며 날아가고 있었다. 메리는 반가운 마음에 방울새를 불렀다. 방울새는 마치 메리의 인사에 대답이라도 하듯 지저귀면서 힘차게 날아갔다. 메리는 방울새를 한참이나 바라보았다. 그런데 방울새가 앉은 곳은 담 안쪽의 사과나무 꼭대기였다.

'저 사과나무는 비밀의 화원 안에 있는 것이 틀림없어. 어떻게 해서든 저 안으로 들어가 봐야겠어.'

방울새가 앉아 있는 것을 보며 메리는 이렇게 생각했다. 하지만 아무리 담 주위를 살펴보아도 문은 발견할 수 없었다.

그 날 저녁, 메리는 마사에게 물었다.

"아저씨는 왜 그 화원을 싫어하지?"

마사는 난처한 표정을 지으며 말하기를 주저했다. 그럴수록 메리는 마사를 자꾸 다그쳤다. 마사는 어쩔 수 없다는 듯 입을 열었다.

"절대로 다른 사람에게는 말하면 안 됩니다. 이 집엔 비밀이 많아요. 사실, 그 화원은 돌아가신 마님의 화원이었어요. 주인님과 마님은 늘 그 곳에서 즐거운 시간을 보냈지요. 마님이 장미꽃을 무척 좋아하셔서 큰 고목에 장미 덩굴로 엮은 의자도 만들어 달았어요. 그런데 마님이 거기서 떨어져 크게 다치셨어요. 그것 때문에 마님은 돌아가시고 말았답니다. 그 후부터 주인님은 그 화원을 무척이나 싫어하시게 되었어요."

메리는 화원에 얽힌 이야길 듣자 마음이 무거워졌다. 거칠게 부는 바람 소리가 메리의 마음을 더욱 무겁게 만들었다. 그런데 바람 소리에 섞여 이상한 소리가 들려왔다. 마치 아이가 울고 있는 소리 같았다.

"마사, 이 소리 들려?"

순간, 마사는 흠칫 놀랐다.

"아뇨. 바람 소리밖엔 들리지 않아요."

메리는 다시 한 번 귀를 기울였다. 이번에는 또렷이 아이의 울음소리가 들렸다.

"아니야. 분명히 아이 울음소리가 들려!"

메리는 그 소리에 대해 확신했다. 그런데 마사가 갑자기 당황한 몸짓으로 벌떡 일어서더니 문을 잠갔다. 마사의 행동은 여느 때와 달랐다. 메리는 왠지 모르게 부자연스럽게 행동하는 마사를 뚫어지게 쳐다보았다.

'울음소리가 분명한데……'

메리에게는 아무래도 마사가 거짓말을 하고 있는 것처럼 느껴졌다.

전날 밤에 바람이 거세게 불더니 이튿날은 아침부터 비가 쏟아졌다. 창 밖으로 보이던 푸른 하늘은 온데간데없고 시꺼먼 구름만 잔뜩 깔려 있었다. 비가 쉽게 그칠 것 같지 않았다.

"오늘처럼 비가 억수같이 내리는 날에는 뭘 하고 놀지?"

마사는 따분해하는 메리를 재밌게 해 줄 수 있는 일이 없을까를 생각했다.

"아가씨, 책을 읽는 건 어때요?"

"책은 모두 인도에 두고 왔어."

말을 마치자마자 문득, 이 곳에 있을지도 모르는 도서관을 찾아보는 것도 좋겠다는 생각이 메리의 머릿속에 떠올랐다. 마사가 방을 나간 뒤에 메리도 방문을 열고 복도로 나갔다. 살금살금 복도의 이쪽 저쪽을 두리번거리며 걸었다.

긴 복도가 끝나는 곳의 좁은 계단을 올라가자 또다시 긴 복도가 나타났다. 복도의 양쪽에는 수많은 문이 있었고, 그림들이 군데군데 걸려 있었다. 메들록 부인의 말처럼 방문들은 모두 잠겨 있을 것이다. 어차피 열어 볼 수도 없는 방인데다, 100개나 되는 방을 다 들여다볼 수도 없는 노릇이었다.

메리는 그만 자기 방으로 돌아가는 것이 좋겠다고 생각했다. 그런데 복도를 돌아가면 찾을 줄 알았던 자신의 방이 보이지 않았다. 이리저리 헤맸지만 도무지 찾을 수가 없었고, 주위는 너무도 조용했다.

바로 그 때, 고요한 정적을 깨고 울음소리가 들려왔다. 갑작스럽게 들린 소리에 메리는 깜짝 놀랐다. 그 때문에 얼떨결에 벽걸이를 잡았는데 놀랍게도 그 뒤에는 또 다른 복도로 통하는 문이 있었다. 메리는 이건 또 뭔가 싶어 어리둥절했다. 저쪽 편에서 메들록 부인이 노려보고 있는 것을 발견한 것도 그 때였다.

"여기서 뭘 하고 있었던 거죠? 내가 했던 말을 잊으셨어요?"

"복도를 잘못 들어섰을 뿐이에요. 여기가 어딘지도 모르겠어요. 제 방은 어디죠? 그런데 혹시 조금 전에 울음소리를 들으셨어요?"

"그런 소리는 들리지 않았어요. 아가씨가 잘못 들은 거예요."

메들록 부인은 단호하게 말했다.

"아가씨, 이젠 절대로 혼자 이렇게 돌아다녀서는 안 돼요. 주인님 말대로 가정교사를 들여야 할 것 같군요. 아가씨는 감독이 필요해요."

냉정하기만 한 메들록 부인의 말에 메리는 풀이 죽었다. 하지만 분명히 울음소리는 메리의 귀에 똑똑히 들렸었다. 메리는 생각했다.

'누군가가 이 곳 어딘가에서 울고 있는 게 틀림없어.'

메들록 부인에게는 말할 수 없었지만, 누구의 울음소리인지 반드시 알아 내고야 말겠다고 다짐하며 메리는 이를 악물었다.

비밀의 화원

며칠 동안 비를 뿌리던 검은 구름이 걷히자, 짙푸른 하늘이 그림처럼 펼쳐졌다. 일찍이 볼 수 없었던 깊고 푸른 하늘이었다. 뿐만 아니라 드넓게 펼쳐진 들판에도 생기 넘치는 빛으로 가득했다. 메리는 답답한 가슴이 저절로 후련해지는 것 같아 저절로 탄성이 흘러나왔다.

"와! 밝은 빛이 가득한 저 들판을 좀 봐!"

마사는 뿌듯한 듯이 메리에게 말했다.

"이 곳은 해마다 이맘 때면 늘 이렇죠. 이게 바로 봄이 올 전조랍니다. 아가씨도 이젠 저 들판을 좋아하게 될 거예요. 봄이 되면 들장미와 금잔화가 들판 가득 피고, 나비가 하늘하늘 날아다니고 종다리의 노래 소리도 들을 수 있지요. 그 때가 오면 아가씨도 내 동생 디콘처럼 온종일 들판에서 뛰놀고 싶어질 걸요!"

"나, 마사의 집에 가 보고 싶어."

메리는 뜬금없이 말했다.

"글쎄요. 우리 집은 여기서 8킬로미터나 되는데 아가씨가 갈 수 있겠어요?"

하지만 메리는 마사의 말에는 아랑곳하지 않고 철없이 졸랐다.

"오늘은 내가 외출하는 날이니까 집에 가서 어머니께 말씀드려 볼게요."

마사는 기분 좋게 웃으며 말했다.

메리가 식사를 끝냈을 때 마사는 자기 집에 간다면서 외출했다. 혼자 남은 메리는 정원으로 향했다. 그 동안은 비 때문에 그 곳으로 가 볼 수 없었기 때문이었다. 가장 가까운 채소밭에 들어가자 벤 할아버지가 여느 때처럼 일을 하고 있었다. 메리는 명랑한 목소리로 할아버지께 인사했다.

"안녕하세요, 할아버지?"

"응, 그래. 땅 냄새가 향기롭지 않니? 곧 봄이 올 것 같구나."

"정말 싱그러운 향기가 나는 것 같아요."

"흙도 기분이 좋아서 이제 곧 파란 새싹을 돋게 할 거야."

"인도에선 한 번도 본 적이 없어요. 어떤 싹이 돋아날까요?"

"수선화나 장미의 싹이 트겠지. 그것말고 다른 것들도 많단다."

그 때, 어디에선가 나타난 방울새가 메리 앞에 내려앉았다.

"이 방울새가 사는 그 화원에도 싹들이 돋아날까요?"

"네가 직접 방울새에게 물어 보렴."

할아버지의 목소리는 다정스러웠지만 웬일인지 표정이 어두워졌다. 벤 할아버지는 더 이상 말하고 싶지 않다는 듯 멈추었던 곡괭이질을 다시 시작했다. 메리 역시 아무 말도 하지 않은 채 채소밭을 슬며시 빠져나왔다.

메리가 다음으로 간 곳은 담쟁이덩굴로 덮인 그 정원이 보이는 길이었다. 혹시 들어가는 문이 있지 않을까 해서 메리는 담 여기저기를 두리번거렸다.

그러고 있는 도중에 메리의 눈에는 방울새가 재잘거리며 쫓아오고 있는 것이 보였다. 메리가 천천히 방울새에게 다가갔지만 방울새는 겁도 없이 계속해서 먹이를 찾고 있었다. 메리는 방울새가 먹이를 찾는 모습이 너무 예뻐서 넋을 잃고 바라보았다. 그런데 방울새가 쪼아 놓은 흙 사이로 무언가 이상한 것이 있었다. 메리는 얼른 그것을 주웠다.

'이게 뭐지?'

이리저리 살펴보던 메리는 어쩌면 이게 바로, 비밀의 화원 열쇠일지도 모른다는 생각이 들었다. 그러자 가슴이 몹시 두근거렸다.

'화원의 입구를 꼭 찾아서 이 열쇠로 열어 봐야지. 이제 화원에 들어갈 수 있게 될지도 몰라.'

메리는 화원에 들어갈 수 있을지도 모른다는 생각에 너무 기쁜 나머지 소리라도 지르고 싶었다.

다음 날, 외출하고 돌아온 마사는 집에서의 일들을 메리에게 말했다.

"어머니를 도와 빵과 과자를 구웠었어요. 맛있는 냄새가 집 안에 가득했지요. 놀다 들어온 동생들이 탄성을 질렀어요. 디콘은 우리 집이 궁전보다 좋은 데라고 했을 정도였답니다."

마사의 이야기는 쉬지 않고 계속되었다.

"동생들이 아가씨 이야기를 무척 듣고 싶어했어요. 하지만 내가 아가씨에 대해 알고 있는 게 별로 없어서 해 줄 이야기가 없었어요."

"다음에 집에 갈 땐 내가 인도에서 봤던 신기한 것들을 말해 줄게. 코끼리와 낙타를 탔던 일 같은 거 말야."

"어머나, 아가씨! 정말이세요?"

마사는 벌써부터 즐거워했다.

"그런데 디콘도 내 얘길 듣고 싶어했어?"

"그럼요. 궁금한 게 많은가 봐요."

메리와 마사는 신나게 떠들어댔다. 그런데 갑자기 마사가 무슨 생각이 떠올랐는지 이야길 하다 말고 밖으로 나갔다. 다시 들어온 마사는 무엇인가를 뒤에 숨기고 있었다.

"아가씨, 제가 선물을 갖고 왔어요."

메리는 마사가 준비한 뜻밖의 선물에 깜짝 놀랐다.

"선물이라니?"

"빨강과 파랑 손잡이가 달린 줄넘기 줄이에요. 집 앞을 지나가던 행상한테서 어머니가 2펜스를 주고 산 거랍니다."

메리는 태어나서 지금까지 줄넘기 줄을 한 번도 본 적이 없었다. 생전 처음 보는 줄넘기 줄이 그저 신기할 따름이었다.

"이거 어디다 쓰는 거지?"

마사는 그런 메리를 놀라운 눈으로 바라보며 말했다.

"아니, 그것도 모르세요? 그럼 제가 하는 걸 보세요."

마사는 방 한가운데서 줄넘기를 하기 시작했다. 폴짝폴짝 뛰며 줄넘기를 하는 마사를 메리는 재미있게 쳐다보았다.

"정말 신나겠는데?"

메리는 여태껏 누군가에게 선물을 받는 기분이 어떤 건지 몰랐다. 새삼스럽게 마사의 성의가 코끝이 찡할 정도로 고마웠다. 메리는 마사의 손을 꼭 잡으며 고맙다는 인사를 했다.

마사에게 선물받은 줄넘기는 처음부터 잘 하진 못했다. 하지만 어설프게나마 연습을 거듭하다 보니 얼마 후에는 생각보다 쉽게 느껴졌다. 메리는 그렇게 줄넘기를 하면서 자기도 모르게 화원 쪽으로 갔다.

분수가 있는 뜰을 돌고 채소밭을 지나 마침내 맨 안쪽에 있는, 담쟁이덩굴로 덮인 담 앞에까지 왔다. 그 곳에는 또 방울새가 먹이를 쪼고 있었다.

"네가 열쇠를 찾게 도와주었으니 이젠 그 화원의 문이 어딘지 가르쳐 주지 않을래?"

메리는 방울새에게 다가가 간곡하게 말했다. 그 때였다. 갑작스레 한 줄기 세찬 바람이 불어와 담쟁이덩굴 잎을 흔들어 놓았다. 메리는 그 때를 놓치지 않았다. 담쟁이덩굴 잎 사이로 문의 손잡이를 보았던 것이다. 메리는 너무나 놀랐지만 마음을 가다듬고 담쟁이덩굴 앞으로 다가 갔다. 얽혀 있는 덩굴의 줄기를 올려다 보니 그 곳에는 정말로 문의 손잡이가 달려 있었다.

'이 곳이었구나……'

메리는 호주머니에서 열쇠를 꺼냈다.

'열쇠가 꼭 맞아야 할 텐데……'

메리는 열쇠를 손잡이의 구멍에 끼워 넣었다. 거짓말처럼 열쇠는 꼭 맞았다. 그러고 난 다음, 열쇠를 두 손으로 쥐고 힘주어 돌리자 마침내 움직였다.

안도의 한숨을 내쉬며 메리는 사방을 둘러보았다. 다행히 주변에는 아무도 없었다. 본 사람이 없는 걸 확인한 메리는 조심스럽게 문을 밀어 보았다. 문은 소리없이 열렸다. 메리는 얼른 안으로 들어가 다시 문을 닫았다.

비밀의 화원이 10년 만에 처음으로 사람을 받아들이는 순간이었다.

화원은 더할 수 없이 아름답고 신기한 곳이었다. 또 다른 세계가 그 곳에 펼쳐져 있는 듯했다.

"어쩜 이리도 아름다울까……."

메리는 나지막이 속삭였다.

화원에는 어떤 것보다 장미 덩굴이 많았다. 둥근 아치를 이룬 덩굴이 있는가 하면, 커튼처럼 길게 늘어진 장미 덩굴도 있었다. 하지만 장미꽃 들은 마른 줄기만 있을 뿐 싹이 틀 것 같지 않았다.

메리는 정원의 여기저기를 거닐었다. 두 번째 화단에 이르렀을 때 초록빛 싹들이 고개를 삐죽이 내밀고 있는 것을 보았다.

'여기에는 죽은 화초들만 있는 게 아니었어. 이렇게 싹이 돋는 것도 있는 걸 보면…….'

메리는 새싹에서 풍기는 싱그러운 냄새에 기분이 아주 상쾌해졌다.

'깨끗하게 잡초를 뽑아 주면 싹들도 잘 자랄 수 있을 거야…….'

사람의 손이 오랫동안 닿지 않아서 그런지 초록빛 새싹들의 주위에는 잡초가 무성했다. 메리는 그냥 두면 안 될 것 같아 잡초를 뽑기로 했다. 처음엔 새싹 주위의 잡초만 조금 뽑으려고 했는데, 어느 새 나무 그늘 의 풀밭까지 풀을 뽑고 청소까지 했다. 생전 처음 하는 일이었지만 메 리의 기분은 신기할 정도로 상쾌하고 즐거웠다.

시간 가는 줄도 모르고 화초들과 시간을 보내다 보니 어느 새 점심 시간이 되었다. 메리는 식사를 하는 동안 먹는 음식마다 너무 맛있어서 식사 시간이 그렇게 즐거울 수가 없었다. 마사는 이런 메리를 보고 무 척 기뻐했다.

"아가씨, 줄넘기를 한 효과가 있나 봐요."

메리는 아무 말없이 웃기만 했다. 그러다 문득 화원에서 보았던 화초의 이름이 궁금해졌다.

"마사, 양파같이 생긴 흰 뿌리 이름이 뭔지 알아?"

메리는 좀전에 본 걸 말했다.

"그건 알뿌리란 거예요."

"알뿌린 돌봐 주지 않아도 오래 살 수 있는 거야?"

"그건 혼자 힘으로도 잘 큰답니다."

메리는 속으로 기뻤다.

"마사, 호미 하나만 있었으면 좋겠어."

메리는 조심스럽게 말했다.

"아가씨가 호미로 뭘 하시게요?"

메리는 마사에게 화원에 대해 말해도 될지 잠시 생각해 보았다.

'만약에 아저씨가 아시게 되면 틀림없이 화를 내실 거야. 그럼 다시는 비밀의 화원에 못 들어가게 될지도 몰라. 아직은 마사에게도 말하지 말아야겠어.'

마사에게도 비밀로 하기로 결심한 메리는 핑계거리를 궁리했다.

"여긴 집도 뜰도 무척이나 큰데 나와 놀 사람이 없잖아. 마사는 늘 바쁘고 벤 할아버지는 나랑 말을 별로 안 해. 그래서 조그만 화단을 만들어 보면 재미있을 것 같아서."

마사는 아무런 의심도 하지 않은 채 빙긋 웃었다.

"좋은 생각인데요, 아가씨."

"호미는 어디서 사면 되지?"

"미슬드웨이트에 가면 호미와 괭이, 그리고 갈퀴까지 한데 묶어 2실링에 팔아요."

메리는 안심이 되었다. 아저씨가 매주마다 용돈을 1실링씩 주라고 메들록 부인에게 말한 덕분에, 메리는 돈을 제법 모을 수 있었던 것이다.

"좋은 수가 있어요, 아가씨!"

"뭔데?"

"그 가게에는 꽃씨도 파는 것 같더군요. 디콘은 꽃에 대해 아는 게 많으니까 그 애에게 그것들을 사 오도록 편지를 쓰는 거예요."

메리와 마사는 말이 끝나기가 무섭게 편지를 쓰기 시작했다.

　　디콘에게!

　　안녕, 디콘. 잘 있었지?

　메리 아가씨가 꽃밭을 가꾸려고 하는데, 미안하지만 네가 미슬드웨이트 가게에 가서 연장과 꽃씨를 사다 주겠니? 튼튼하게 잘 자라고

예쁜 꽃을 피우는 것으로 말이야.

　그러면 어머니께도 안부 전해 다오. 다음에 만날 땐 메리 아가씨
에게 들은 많은 이야기들을 해 줄 수 있을 거야.

누나가

이렇게 간단하게 편지를 쓴 다음 봉투에 돈과 함께 넣었다.

"디콘이 이것들을 사 가지고 직접 여기로 오면, 나도 디콘을 만날 수
있을 텐데."

메리는 마사를 바라보며 말했다.

"그렇지 않아도 디콘이 직접 와서 그것들을 전해 줄 거예요."

"정말? 드디어 디콘을 보게 되겠네."

그 때 마사는 뭔가 생각난 듯 말을 꺼냈다.

"참, 아가씨가 저번에 우리 집에 가고 싶다고 해서 어머니께 말씀드
렸더니 쉽게 승낙해 주셨어요."

메리는 신나는 일이 한꺼번에 두 가지나 생기자, 신이 나 어쩔 줄 몰
랐다.

"그럼, 디콘도 보고 어머니도 볼 수 있게 됐네!"

메리는 그들을 만날 생각을 하자 벌써부터 설레기 시작했다. 들뜬 마
음에 디콘과 마사의 어머니를 만나는 장면을 상상해 보기도 했다. 그러
다가 문득 조금 전에 복도에서 들었던 울음소리가 떠올랐다.

"참, 마사도 아까 울음소리 들었어?"

마사는 뜨끔한 듯한 표정을 지었다.

"그건 왜 물어요?"

"조금 전에 내가 복도에 나갔다가 저번에 들은 울음소리를 또 들었거
든. 오늘은 저번처럼 바람도 불지 않아서 더 잘 들렸어. 그건 울음소

리가 분명했어."

마사의 얼굴에는 당황한 빛이 역력했다.

"혼자 복도를 돌아다녀서는 안 돼요."

마사는 더듬거리며 말했다.

"돌아다니지 않았어. 너를 기다리고 있었을 뿐이야. 그런데 정말 들리지 않아? 이번이 벌써 세 번째라구."

마사는 다그치는 메리를 난감하게 바라보았다. 그 때 마사를 구해 주는 소리가 들려왔다. 메들록 부인이 마사를 찾고 있었던 것이다.

"아가씨, 메들록 부인이 저를 부르십니다."

마사는 메리의 말을 알아듣지 못한 것처럼 서둘러 방을 나가 버렸다.

'이 집은 정말 비밀이 너무 많은 것 같아.'

하지만 메리는 오래도록 생각을 할 수가 없었다. 다른 날과는 달리 하루를 바쁘게 보냈기 때문이었다. 생전 처음으로 줄넘기도 하고 풀도 뽑은 날이었다. 그래서 메리는 의자에서 일어날 생각조차 하지 못한 채 그대로 잠들어 버렸다.

숲 속의 요정, 디콘

메리는 날마다 비밀의 화원에 갔다. 그 곳에 가면 아무도 모르는 요정의 나라에 혼자 있는 것 같은 기분이 들었다.

이제 메리는 비밀의 화원 덕분에 외롭거나 쓸쓸하지 않았다. 그보다는 빨리 봄이 와서 화원 가득 수많은 꽃들이 피어나는 것을 보고 싶었다. 그런 생각을 하다 보면 메리는 날아갈 것처럼 기분이 좋았다.

매일매일 비밀의 화원에 가다 보니 메리는 벤 할아버지와도 꽤 가까워졌다. 언제나 다정한 목소리로 인사를 건네는 메리를 벤 할아버지가 귀여워하지 않을 까닭이 없었다. 그리하여 두 사람은 서로에게 아주 환한 웃음을 주고받는 사이가 될 수 있었다.

메리는 오늘도 벤 할아버지와 인사를 나눈 뒤 몰래 비밀의 화원으로 들어갔다. 오늘따라 비밀의 화원 안에 있는 조그만 문을 한 번 열어 보고 싶어졌다. 그래서 문 앞으로 다가갔는데 어디선가 피리 소리가 들려왔다. 메리는 망설임도 없이 조그만 문을 활짝 열어젖혔더니 거기에는 숲으로 통하는 길이 나 있었다. 피리 소리는 그 안쪽에서 들려오고 있었다. 메리는 피리 소리에 홀린 듯 천천히 숲을 향해 걸어가기 시작했다.

얼마 쯤 걸어갔을 때 메리의 눈앞에는 신기한 광경이 펼쳐지고 있었다. 특이하게 생긴 어떤 소년 하나가 다람쥐, 토끼, 꿩 같은 동물들에게 둘러싸여 피리를 불고 있었다. 메리는 놀란 나머지 아무 말도 못한 채 꼼짝 않고 서 있었다.

소년은 피리 연주가 다 끝나고 나서야 메리를 알아보았다.

"네가 메리니? 난 디콘이라고 해."

디콘이 자리에서 일어서자 동물들은 뿔뿔이 흩어져 숲 속으로 사라졌다. 메리는 아무 말도 없이 디콘만 바라보았다. 디콘의 유난히 푸른 눈과 양귀비꽃처럼 붉은 볼을 메리는 한 번도 본 적이 없었다.

"편지를 받고 온 거야?"

메리는 겨우 디콘에게 물었다. 디콘은 대답 대신 고개를 끄덕였다.

"연장과 꽃씨를 사 가지고 왔어."

디콘은 오랜 친구를 대하듯 메리에게 다정하게 말했다. 그 덕분에 메리도 디콘과 쉽게 친해질 수 있을 것 같은, 기분 좋은 예감이 들었다.

둘은 사이좋게 나무 밑에 앉았다. 메리는 디콘에게서 풍기는 싱그러운 풀냄새가 좋았다. 디콘이 꾸러미를 풀자 여러 개의 꽃씨 봉지가 들어 있었다.

"냄새가 좋은 참제비고깔이야. 그리고 이건 어디서든 잘 크는 양귀비 꽃이고."

어느 틈에 나타난 방울새가 디콘이 말하고 있는 사이에도 쉴새없이 지저귀고 있었다.

"우릴 부르는 걸까?"

메리가 반색을 하며 말했다.

"그런 거 같아. 저 새는 내 친구거든."

"저 새가 나도 좋아할까?"

"그럼. 좋아하지 않으면 가까이 오지도 않아. 봐, 네 곁으로 다가오고 있잖아."

디콘의 말에 메리가 다시 물었다.

"넌 새가 하는 말도 다 알아들을 수 있니?"

디콘은 쑥스러운 듯이 머리를 긁적거렸다.

"알 수 있을 것 같아. 난 늘 들판에서 노니까 말야."

이렇게 메리와 디콘은 많은 이야기를 나누었다. 갖가지 꽃들과 꽃씨에 대해서도 디콘은 정말 많이 알고 있다는 걸 메리는 느낄 수 있었다.

"그런데……."

디콘이 갑자기 말했다.

"이 씨를 어디에 뿌릴 거야? 내가 해 줄게."

메리는 어떻게 말해야 할지 몰라 당황스러웠다.

"내가 지금부터 말하려는 건 굉장한 비밀이야. 이 집 사람들은 아무도 몰라. 만약 누가 이 비밀을 알게 된다면, 난 죽고 말 거야."

메리는 얼마나 중대한 비밀인지를 디콘에게 알려야 한다는 생각으로 강한 어조로 말했다. 디콘은 놀라는 눈치였으나 상냥하게 대답했다.

"나는 비밀을 꼭 지켜."

메리는 디콘의 다짐을 받고 난 다음에야 입을 열었다.

"화원이 있긴 하지만 내 건 아니야. 오히려 훔친 거나 같아. 10년 동안 화원의 문이 굳게 닫혀 있어서 누구도 돌보지 않던 곳이거든. 버려진 거나 마찬가지인 그 화원을 지금 내가 돌봐 주려고 해."

"화원은 어디 있니?"

디콘의 말에 메리는 자리에서 일어나 화원을 향해 걸어갔다. 가로수 길을 지나 화원에 다다르자, 디콘은 놀라움을 금치 못했다.

"세상에! 이렇게 아름다운 곳이 있다니……. 꿈을 꾸고 있는 것만 같아."

디콘은 잠시 멍해져서 움직일 줄을 몰랐다. 조심조심 걸으면서 디콘은 화원의 이곳 저곳을 살펴보았다.

"내가 이 곳에 오게 될 줄은 정말 몰랐어."

"넌 이 화원에 대해 전부터 알고 있었던 거니?"

"이 집에 10년 동안 닫혀 있는 정원이 있다는 걸 누나한테 들은 적이 있어. 그래서 몹시 궁금해하던 차였어."

디콘은 여전히 신기한 듯 사방을 두리번거렸다.

"이제 곧 봄이 되면 들판의 새들이 이 곳에 집을 지으러 올 거야. 여기만큼 안성맞춤인 장소도 없을 테니 말야."

메리는 무엇보다 화원 여기저기에 얽혀 있는 장미꽃에 관해 디콘에게 물어 보고 싶었다.

"저 많은 장미꽃들이 봄에 다시 꽃을 피울까?"

디콘은 곁에 있던 장미 덩굴의 줄기 하나를 잘라 보았다.

"이렇게 초록빛이 촉촉한 건 아직 살아 있다는 증거야."

"아휴, 다행이다."

메리는 디콘의 말에 안심이 되었다.

둘은 화원 곳곳을 거닐며 갖가지 나무와 화초들을 구경했다. 그러다 문득 디콘은 발걸음을 멈추었다.

"누가 손질을 한 모양이야."

디콘은 새싹이 돋아난 주변이 말끔히 정리되어 있는 곳을 가리켰다.

"내가 했어."

메리가 손질한 새싹의 주변을 디콘은 구석구석 살펴보았다.

"몸이 약한 것 같은데 일을 참 잘했구나."

"예전엔 아주 약해서 힘이 없었는데 지금은 땅을 파는 일도 할 수 있는걸. 그리고 난, 흙냄새가 너무 좋아."

디콘은 메리의 말에 웃으며 고개를 끄덕거렸다.

"둘러봐서 알겠지만 여기에는 할 일이 많아. 네가 좀 도와줄 수 있겠니?"

"그럼. 언제라도 도와줄게."

디콘은 기꺼이 대답했다. 메리는 디콘의 그러한 태도가 너무나 마음에 들었다. 그래서 메리는 걷다 말고 디콘의 팔을 덥석 잡고는 말했다.

"넌 마사의 말대로 정말 좋은 친구구나. 내게는 좋아하는 사람이 이제 다섯 명이나 된단다."

"나말고 또 누가 있는데?"

디콘은 궁금한 듯 물었다.

"벤 할아버지, 마사, 너의 어머니, 그리고 방울새."

두 사람은 함께 웃으며 유쾌한 이야기를 주고받으며 열심히 일을 했다.

어느 새 12시를 알리는 시계 소리가 멀리서 들려왔다. 메리는 시간이 너무 빨리 흐른 걸 알고는 깜짝 놀랐다.

"벌써 점심 먹을 시간이야. 넌 어떻게 할 거니?"

메리는 디콘과 곧 헤어진다고 생각하자 아쉬움이 밀려왔다.

"어머니가 도시락을 챙겨 주셨어."

디콘은 벗어 두었던 옷 주머니 속에서 조그만 꾸러미를 꺼냈다. 푸른 무늬가 있는 하얀 손수건에는 베이컨이 든 빵이 두 조각 있었다.

"너도 얼른 가서 맛있는 점심을 먹고 와."

메리는 디콘이 마치 숲의 요정처럼 느껴졌다. 그래서 이 곳에 두고 가면 그대로 사라져 버릴 것 같아 근심스러웠다. 한참을 걸어가다 말고 메리는 다시 되돌아왔다.

"디콘, 무슨 일이 있어도 이 화원에 대해 누구에게도 말해서는 안 돼. 알겠지?"

"물론이야. 그 점은 걱정하지 않아도 돼."

디콘이 다시 한 번 다짐하자 메리는 안심이 되었다.

메리는 숨이 턱에 차도록 방으로 뛰어들어갔다. 마사가 식사 준비를 마치고 기다리고 있었다.

"아가씨, 어딜 갔다 오느라 이렇게 늦었어요?"

"디콘을 만나느라구!"

마사가 눈을 동그랗게 떴다.

"정말이요? 그러면 디콘이 어떤 아이로 보였어요?"

마사는 궁금함을 참을 수 없었는지 재차 물었다.

"아가씨 눈에는 괜찮은 아이처럼 보였나요?"

"물론이야. 디콘은 정말 좋은 아이 같아. 게다가 얼굴도 참 잘생겼던 걸."

메리의 목소리는 들떠 있었다. 마사는 메리가 생각보다 훨씬 좋아하자 깜짝 놀라기도 했지만 한편으로는 기뻤다.

"아가씨가 그렇게 좋아하니 참으로 다행이에요. 디콘은 정말 좋은 애랍니다. 하지만 잘생기지는 않았어요."

"디콘의 눈, 코, 입 전부 맘에 들어. 특히 하늘빛처럼 푸른 눈은 정말 멋있어."

"어머니가 그랬어요. 디콘은 언제나 들판에서 화초, 나무, 그리고 새와 구름 같은 것들만 보며 지냈기 때문에 그렇게 눈이 파란 거라고 말이에요."

마사는 아주 만족스러운 표정으로 말했다.

"참, 디콘이 가지고 온 연장과 꽃씨는 마음에 들었나요?"

"그럼, 아주 마음에 들어."

메리는 서둘러 식사를 마치자마자 또 밖으로 나가려고 했다.

"아가씨, 또 어딜 가시려구요. 오늘은 주인님이 여행에서 돌아오셔서 아가씰 보고 싶다고 하셨어요."

메리는 아저씨를 만난다는 생각은 해 본 적이 없었기 때문에 적잖이 당황스러웠다.

"아저씨가 왜?"

"글쎄요. 주인님께서 내일 다시 여행을 떠나시기 때문이겠지요."

그제서야 메리는 마음이 놓였다. 메리는 아저씨가 또 여행을 가신다면, 그 사이에 비밀의 화원을 되살릴 수 있을지도 모른다고 생각했다. 그 때, 메들록 부인이 방문을 열고 들어왔다.

"마사, 아가씨에게 가장 좋은 옷을 입혀. 주인님을 만나러 가야 하니까."

준비가 끝나자 메들록 부인은 한 번도 가 본 적이 없는 곳으로 메리를 데려갔다. 메리의 가슴은 쉴새없이 두근거렸다. 드디어 어떤 방문 앞에 이르자 메들록 부인이 노크를 했다.

"들어와요."

안에서 퉁명스러운 목소리가 들렸다. 메들록 부인이 문을 열고 메리를 안내했다. 한 남자가 안락의자에 앉아 있었다.

"수고했소. 부인은 나가 보시오."

메들록 부인이 나가자 메리는 어찌해야 좋을지 몰랐다. 두 손을 맞잡은 채 꼼짝 않고 서 있었다. 의자에 앉아 있는 남자는 등이 약간 굽긴 했지만, 키가 무척 커 보였다. 그는 처음 만나는 메리를 유심히 보았다.

"이리 가까이 오렴."

그는 다정한 목소리로 메리에게 말했다. 메리는 그의 곁으로 가까이 갔다. 처음 본 아저씨의 마른 얼굴에는 슬픈 기색이 역력했다.

"이 곳에서 편히 지내고 있니?"

"네, 모두들 저에게 잘 대해 줘요."

"네가 온 걸 까맣게 잊고 있었구나. 널 위해 가정교사나 유모를 두려고 했었는데……."

메리는 처음보다 아저씨가 어렵지 않았지만, 하고 싶은 말은 목에 걸려 나오지 않았다.

"하고 싶은 거나 갖고 싶은 것이 있으면 말해 보아라."

메리는 용기를 내어 말했다.

"저는 가정교사도 유모도 필요하지 않아요. 그저 밖에서 뛰어 놀고 싶어요. 들판의 맑은 공기도 마시고 줄넘기도 하면서 말이에요. 그런데……. 아저씨! 갖고 싶은 걸 말해도 되나요?"

아저씨는 고개를 끄덕이며 말해 보라고 했다.

"전, 땅을 조금 갖고 싶어요."

메리의 말에 아저씨는 적잖이 놀라며 말했다.

"어린 네가 땅으로 무얼 하려고 그러니?"

"저는 거기다가 꽃씨를 뿌려서 꽃이 아름답게 피는 걸 보고 싶어요."

아저씨는 안락의자에서 일어나 방 안을 잠시 동안 오락가락했다. 그리고 메리를 한참이나 바라보았다.

"네가 하고 싶은 대로 하렴. 어디든 네 마음에 드는 땅을 골라 꽃을 가꾸도록 해라."

"정말, 어디든 괜찮아요?"

메리는 기쁜 마음에 떨리는 목소리로 다시 물었다. 아저씨는 힘없는 얼굴로 쓸쓸히 웃어 주었다.

방으로 돌아오자 마사가 기다리고 있었다.

"아저씨는 너무 좋은 분 같아. 내가 하고 싶은 건 무엇이든 마음대로 해도 좋다고 하셨어. 꽃씨를 뿌릴 땅까지도 말이야."

메리는 마사에게 자랑스러운 듯 큰 소리로 말하고 난 뒤 화원으로 뛰어갔다. 디콘은 이미 가고 없었다. 큰 나무 아래 연장만 덩그러니 놓여 있었다. 메리는 실망스러웠다. 그런데 연장 곁에 흰 쪽지가 눈에 띄었다. 메리는 얼른 쪽지를 펴 보았다. 거기에는 새가 둥지에 앉아 있는 그림이 그려져 있고, 그 아래에는 비뚤어진 글씨로 "내일 또 올게."라고 씌어 있었다. 메리는 디콘이 숲 속의 요정이 아니라 내일 다시 만날 수 있는 친구라고 생각하자 저절로 웃음이 나왔다.

가엾은 친구

한밤중이 가까워 올 무렵, 갑자기 비가 억수같이 쏟아졌다. 심한 비바람에 유리창이 덜컹거렸다. 메리는 그 소리에 깜짝 놀라 잠에서 깨고 말았다. 천둥 번개에 웅웅거리는 바람 소리는 꼭 귀신이 울고 있는 소리처럼 들렸다.

메리는 다시 잠을 이룰 수 없을 것 같았다. 그러나 잠을 자려고 애쓰면서 뒤척거리고 있었다. 그런데 어디선가 바람 소리와는 다른 괴상한 소리가 들렸다.

"저 소리는 바람 소리가 아닌데……. 틀림없이 저번에 들었던 그 울음소리야."

메리는 겁도 없이 자리에서 벌떡 일어나 귀를 기울였다. 멀리 복도 끝에서 울음소리가 들려오고 있다는 걸 알아차렸다. 오늘 밤에는 무슨 일이 있어도 울음소리의 정체를 알아내야겠다고 메리는 다짐했다.

메리는 촛불 하나를 들고 캄캄한 복도로 나갔다. 얼마 동안은 무서워서 메리의 얼굴에는 긴장이 서렸다. 얼마를 걸어가다 보니 메들록 부인에게 들켰던 벽걸이 앞에 도착했다. 메리는 벽걸이를 밀어 내고 비밀 통로를 통해 다른 복도를 따라 걸어갔다. 울음소리를 따라 걸어가다 보니 복도의 막다른 곳에 있는 방문 앞에 이르렀다. 거기에는 엷은 불빛이 새어 나오고 있었다. 메리는 떨리는 마음으로 방문을 열었다. 뜻밖에도 멋진 가구로 화려하게 장식되어 있는 방이었다.

유심히 방 안을 살피던 메리는 침대 위에서 울고 있는 소년을 발견했다. 메리는 조심스럽게 침대로 다가갔다. 울고 있던 소년은 메리를 보자 흠칫 놀랐다.

"누구세요?"

소년은 겁먹은 목소리로 물었다.

"난 메리 레녹스야. 크레이븐 씨가 내 고모부야."

소년은 갑자기 나타난 메리의 존재가 믿기지 않는다는 듯, 메리를 뚫어지게 쳐다보았다.

"네가 귀신이 아닌 건 확실하겠지?"

사실은 메리도 소년을 발견하기 전에는 겁이 잔뜩 나 있었지만, 이제는 안정을 되찾아 농담을 할 수 있을 정도였다.

"물론이지. 그러는 너는 귀신 아니야?"

소년은 그제서야 안심을 했는지 낮게 한숨을 내쉬었다.

"난 코린이라고 해. 코린 크레이븐. 크레이븐 씨가 내 아버지야."

메리는 코린의 말에 깜짝 놀랐다.

"난 아저씨에게 아들이 있다는 이야기는 못 들었는데?"

"나도 너를 만난 게 믿어지지 않아. 마치 꿈을 꾸고 있는 것만 같아. 넌 어디서 왔니?"

"난 인도에서 왔어. 부모님이 갑자기 돌아가셨거든."

메리와 코린은 서로에게 궁금한 것을 묻고 대답해 주었다.

"너는 늘 이 방에만 있니?"

"나는 몸이 몹시 약해. 그래서 언제나 누워서 지내. 또 밖에 나가는 걸 싫어하거든. 아버지도 내가 남의 눈에 띄는 걸 싫어하셔."

"왜?"

"어머니가 날 낳자마자 돌아가셨거든. 그리고 아버지도 날 보면 슬픈 생각이 드는지 자주 찾아오지 않으셔."

그 말을 하는 코린은 정말 우울해 보였다.

"네가 사람 만나는 걸 싫어한다면 나도 이만 돌아가는 편이 좋겠어."

그러자 코린이 메리의 옷자락을 붙잡았다.

"아니, 돌아가지 마. 나와 좀더 이야길 나눌 수는 없겠니?"

메리는 우울해하는 코린과 이야기를 나누는 것이 좋겠다고 생각했다. 그래서 코린에게 자신의 방에 대해, 드넓게 펼쳐진 들판에 대해 말해 주었다.

열심히 듣고 있던 코린은 또 질문하기 시작했다.

"넌 몇 살이니?"

"난 열 살이야. 너도 그렇지?"

"그걸 어떻게 알았어?"

코린은 몹시 놀란 모양이었다.

"화원의 문이 닫힌 게 10년 전이니까. 그 해에 네가 태어났고……, 그렇지?"

"화원이라니? 문은 또 왜 닫혀 있지?"

메리는 아차 싶었다. 코린이 화원에 대해 잊어버리도록 화제를 돌렸다.

"오래 살 수 없을지도 모른다고 한 거, 네 스스로 생각한 거니?"

"응, 어려서부터 나는 그런 말을 자주 들었어. 사람들은 내가 못 들었을 거라고 생각하지만, 나도 귀가 있는데 왜 못 듣겠니? 그리고 나를 담당하는 의사는 아버지의 사촌 동생이야. 그 사람은 무척 가난해서 아버지는 내가 죽으면 남은 모든 재산을 그 사람에게 물려준다고 했대. 그러니 그 사람은 내가 한시라도 빨리 죽길 바라고 있을 거야."

"넌 살고 싶지 않아?"

"응, 하지만 죽기도 싫어. 그래서 어찌해야 할지 모르겠단다. 그런 생각만 하면 나는 눈물이 나."

"누구 울음소린가 했더니 너였구나."

"우리 이런 얘긴 그만 하자. 화원 얘길 하는 게 좋겠어. 화원은 어떤 곳이야? 나는 이제까지 보고 싶은 게 없었는데 그 화원만큼은 정말 보고 싶어."

코린은 우울했던 모습이 금세 사라지고, 눈에 호기심이 가득 찼다.

"화원에 들어갈 수 있게 해 달라고 해야겠어. 너도 거기에 가고 싶지? 우리 같이 갈래?"

메리는 가슴이 덜컥 내려앉았다. 코린의 말대로 되면 모든 게 끝장날 것이다.

"안 돼, 그건 절대로 안 돼!"

메리는 거의 울먹이다시피 말했다.

"왜 안 돼?"

"네가 어른들을 졸라 억지로 그 곳에 가게 된다면, 거긴 더 이상 비밀의 화원이 아니잖아."

"비밀? 무슨 비밀?"

메리는 그 어떤 때보다 열심히 이야길 꾸며 댔다.

"우리들이 아무도 모르게 그 곳으로 들어가는 문을 찾았다고 치자. 그럼 그 곳에 우리만 들어가 문을 잠가 놓으면, 그 곳은 우리들만의 비밀의 화원이 되는 거잖아."

코린은 메리의 말이 무슨 뜻인지 도통 알아들을 수가 없었다.

"네가 어른들에게 부탁만 하지 않는다면, 난 곧 그 화원의 문을 발견할 수 있을 거야."

메리는 코린에게 애원하듯이 말했다. 코린은 곰곰이 생각하는 눈치였다. 메리는 가슴이 타들어가는 것 같았다.

"그래, 그러는 게 좋겠어."

코린의 약속을 받아 내고 나서야 메리는 겨우 안심했다.

"내가 생각한 화원에 대해 얘기해 줄까?"

코린은 반색을 하며 고개를 끄덕였다.

"화원의 문이 오랫동안 닫혀 있어서 잡초가 무성할 거야. 장미는 아마 덩굴끼리 얽혀 끝을 찾을 수도 없겠지. 10년 동안이나 버려졌던 화원이니까."

코린은 메리의 이야기에 흠뻑 빠져들어 꼼짝할 줄을 몰랐다.

"넌 아는 게 정말 많구나. 꼭 거기에 들어가 본 사람 같아."

메리는 대답할 말을 찾지 못하고 잠자코 있다가 입을 열었다.

"내가 너무 오래 있었던 거 같아. 너도 많이 피곤하지?"

메리는 일부러 말머리를 돌려 말한 뒤에 코린의 표정을 살폈다. 코린의 얼굴에 피곤함이 어려 있었다.

"메리, 네가 있는 동안에 잠이 들었으면 좋겠다."

메리는 천천히 말하고 있는 코린이 가엾기만 했다.

"코린, 그러면 눈을 감아 봐."

메리가 촛불을 들고 침대 가까이로 다가갔다. 그리고는 나지막한 소리로 자장가를 불러 주자, 코린은 쉽게 잠에 빠져 들었다. 메리는 곤히 잠든 코린의 얼굴을 측은하게 내려다보았다.

다음 날 아침, 비는 그치지 않고 들판은 안개에 싸여 희미하게 숨어 버렸다. 늘 밖으로 나돌던 메리는 비 때문에 집 안에만 갇혀 있었다. 너무 지루한 메리는 마사를 불렀다. 불려 온 마사의 손에는 뜨개질감이 들려 있었다.

"마사, 나는 울음소리의 정체를 결국 알아냈어."

난롯가에 마주 앉으며 메리가 먼저 입을 열었다. 마사는 메리의 말을 듣자 매우 당황하여 들고 있던 뜨개질감을 떨어뜨릴 뻔했다. 메리는 그런 마사의 행동은 신경도 쓰지 않고 짐짓 흥분하여 말했다.

"그 소리를 알아내기 위해 내가 얼마나 애를 먹었는지 알아? 한밤중에 울음소리가 들렸을 땐 정말로 무서워서 잔뜩 겁에 질렸었어. 하지만 어디서 나는 소리인지 너무 궁금해서 찾아보지 않을 수 없었어. 마침내 울음소리가 들려오는 곳을 찾아냈는데, 거기에 코린이 있었어. 그러니까 그 울음소리는 코린이 우는 소리였던 거야."

마사의 얼굴은 이제 하얗게 질렸다.

"아, 아가씨."

마사는 거의 울상이 되어서 겨우 입을 열었다.

"아가씨가 그러면 나는 쫓겨나요. 나는 아가씨에게 도련님 이야기는 한 적도 없는데…… 아가씨는 내가 혼나길 바라는 건가요?"

마사의 원망 섞인 말에 메리의 흥분은 가라앉았다.

"아니, 그렇지 않아. 그리고 마사, 그렇게 걱정할 거 없어. 코린은 내가 찾아간 걸 좋아했어. 매일 와 달라고까지 했는걸!"

"정말이에요? 도련님은 너무 신경질적이어서 언제나 조심스러워요."

"코린이 신경질을 부리는 모습은 찾아볼 수 없었어. 좋은 아이처럼 보이던걸! 우리는 많은 이야길 나누었어. 그리고 코린은 더 많은 이야길 듣고 싶어했어."

"믿어지지 않아요. 그런데 메들록 부인이 알게 되면 정말 난리가 날 거예요."

마사는 약간 진정되긴 했지만 여전히 걱정스러운 얼굴이었다.

"코린이 메들록 부인에게 말하는 일은 없을 거야. 우리는 얼마 동안 비밀로 만나기로 했거든. 그리고 코린은 누구든 자기 말을 들어야 한다고 하던걸?"

"그건 그렇지만……"

"메들록 부인도 코린의 말은 들어야 한다고 했어. 참, 마사. 코린이 나를 만나고 싶을 땐 너한테 말할 거라고 전해 달래."

"뭐라고요? 아, 난 정말 쫓겨나고 말 거예요."

"그런 걱정은 하지 말라니까. 그나저나 코린은 도대체 어디가 아파서 그러고 있는 거야?"

"그건 아무도 몰라요. 내가 듣기에는, 마님이 도련님을 낳자마자 세상을 떠났기 때문에 주인님은 도련님을 보기 싫어하시는데다, 또 자기처럼 꼽추가 될 바에는 아예 죽는 게 낫겠다고 하셨다는군요."

"너도 코린이 죽을 거 같아?"

"어머니가 그러시는데 어느 아이든지 바깥 공기도 쐬지 않고, 누워서 책만 보고 약만 먹으면 오래 살지 못한대요. 도련님은 몸이 약해서 바깥에 데려다 달라는 말씀조차 하기 싫어하세요."

메리는 난롯불을 들여다보고 있다가 불쑥 말했다.

"코린을 화원으로 데려가 맑은 공기를 마시게 하면 나처럼 건강해질 거야. 그렇지?"

그 때 마침 벨이 울렸다. 마사를 부르는 소리였다.

"도련님이 부르시는 거예요."

뜨개질감을 내려놓은 마사는 서둘러 방을 나갔다.

메리는 마사가 방을 나간 뒤에도 여전히 난롯가에 앉아 있었다. 그런데 마사는 나간 지 얼마 되지 않아 다시 돌아왔다.

"도련님이 아가씨를 만나고 싶다고 하세요."

마사는 도무지 영문을 모르겠다는 표정으로 말했다.

"혹시 아가씨가 도련님에게 마술을 부린 게 아닌가요?"

메리는 곧 코린의 방으로 향했다. 좋은 아이라는 생각이 들긴 했지만 디콘을 만나러 갈 때처럼 메리의 가슴이 설레진 않았다.

코린의 방문을 열자 따뜻한 기운이 메리의 몸을 감쌌다. 낮에 와 보니 더욱 훌륭하고 깨끗한 방이었다. 갖가지 아름다운 장식품들에다, 그림책과 화려한 가구들이 진열되어 있었다. 비가 이틀 동안이나 내리는 우중충한 날인데도 방 안은 쾌적했다.

코린은 비단 가운을 입고 커다란 쿠션에 기대어 있었다.

"어서 와, 메리. 아침부터 네 생각이 나서 말야."

코린은 메리를 보며 활짝 웃었다.

"마사와 나도 방금 네 얘길 했어. 마사가 얼마나 놀랐는지 몰라. 게다가 메들록 부인에게 들킬까 봐 걱정이 대단해."

코린은 금방 얼굴을 찡그렸다.

"마사를 불러 줘."

메리는 아무 말 없이 벨을 눌렀다. 얼마 되지 않아 마사는 잔뜩 긴장한 채 방으로 들어왔다. 코린은 마사를 향해 딱딱하게 말했다.

"마사, 모든 건 내 권한이야. 네가 걱정할 필요 없어."

"그렇지만 도련님, 메들록 부인이……."

"내 말대로 하는 게 네가 할 일이야. 그만 나가 봐."

마사가 나가자 메리는 코린을 빤히 쳐다보았다. 코린의 얼굴에는 아무 표정이 없었다.

"왜 그렇게 쳐다봐? 무슨 생각을 하고 있는 거지?"

"나는 지금 두 가지 이야기를 떠올렸어."

"그게 뭐야? 어서 이야기해 봐."

메리는 우선 코린 가까이에 있는 의자에 앉았다.

"내가 인도에 있을 때 어린 임금님을 본 적이 있었어. 온몸을 루비며 에메랄드, 다이아몬드로 장식하고 있었지. 그 어린 임금님이 신하들에게 말하는 투가 지금 네가 마사에게 말하는 것과 같았어. 그 임금님도 그랬어. 시키는 대로 하지 않으면 안 된다고 말이야."

"다른 하나는?"

"두 번째는 넌 디콘과 너무 다르다는 거야."

"디콘이 누군데?"

"마사의 남동생이야. 열두 살인데, 특별한 아이 같아."

코린은 디콘의 이야기를 더 듣고 싶어했다.

"디콘은 피리를 참 잘 불어. 피리를 불면 동물들이 그의 곁으로 모여들기도 한단다. 그 앤 들판을 너무 좋아해서 늘 들판에서 뛰어 놀곤한대. 그래서인지 들판의 동물들에 대해 아주 잘 알고 있단다. 그 앤새나 토끼들과도 이야기를 나눌 수 있다고 하더라."

감탄하고 있는 듯한 코린의 얼굴은 홍조를 띠기 시작했다.

"모두 들판에서 뛰어 놀면서 알게 된 거라고 하더라. 정말 들판을 무척이나 좋아하는 것 같았어."

"난 넓기만 한 들판이 싫은데. 삭막하잖아."

"그렇지 않아. 들판이 얼마나 멋진 곳인데."

"나도 거기에 가 볼 수 있을까?"

"그럼! 넌 들판에 갈 수 있어, 틀림없이!"

어느 새 다시 침울해진 코린의 기분이 좋아질 수 있도록 메리는 끊임없이 이야기했다. 줄넘기놀이며 초록빛 새싹 이야기, 그 밖의 즐거운 이야기들을 쉴새없이 계속했다. 어느덧 코린은 메리의 이야기에 빠져들어 침울한 빛은 사라지고 말았다. 그런데 갑자기 코린은 새로운 사실을 깨달은 것처럼 말했다.

"알고 있었니? 우린 사촌이야."

두 아이는 즐거워하며 한참을 웃었다.

그 때, 갑자기 문이 열리더니 크레이븐 의사와 메들록 부인이 들어왔다. 두 사람은 깜짝 놀라 잠시 동안 멈칫했다. 코린 역시 그들의 갑작스런 방문에 놀랐지만 시치미를 떼고 말했다.

"메리예요. 내 사촌 동생이죠. 내가 와 달라고 부탁했어요."

메들록 부인의 입술이 파르르 떨렸다.

"나를 속이다니!"

"속인 사람은 아무도 없어요. 메리는 내가 우는 소리 듣고 찾아온 것

뿐이에요."

코린은 어른처럼 메들록 부인의 말을 자르며 강하게 말했다. 그런 와중에도 메리는 크레이브 의사의 기분이 상했다는 걸 눈치챘다. 습관적으로 코린의 맥을 짚었지만, 진심으로 염려하는 것 같지 않았다.

"몸에 해로우니까 너무 흥분하지 말아라. 넌 아직 중환자란 사실을 잊어버렸니?"

"이제 그런 건 모두 잊어버리고 싶어요. 메리가 그걸 잊게 해 줘서 난 기분이 훨씬 좋아졌다고요."

크레이브 의사와 메들록 부인은 낙심한 표정이 역력했다.

"메들록, 그렇게 멍하니 서 있지 말고, 우리에게 따뜻한 차와 과자를 갖다 줘."

두 사람은 아무 말 없이 방을 나섰다. 메리는 크레이브 의사가 나가면서 자신을 흘겨보는 것을 놓치지 않았다. 그들이 나가자 방문 너머로 한숨 소리가 들리는 것 같았다.

잠시 후, 코린이 요구한 대로 따뜻한 차와 금방 구운 과자가 들어왔다.

"메리, 차가 따뜻해. 어서 마셔 봐. 과자도 아주 맛있게 보인다. 먹으면서 아까 하던 이야기 계속해 줄래?"

코린과 메리는 서로 마주 보며 기분 좋게 웃었다. 벌써부터 코린이 명랑해진 것 같았다.

비는 일주일 동안이나 계속 내렸다. 하지만 메리는 예전처럼 비가 와도 지루하지 않았다. 거의 매일같이 코린의 방에서 시간 가는 줄도 모르게 놀았기 때문이었다. 메리가 코린에게 책도 읽어 주고, 화원 이야기와 디콘 이야기를 즐겁게 나누는 동안 둘은 점점 친해졌다.

코린은 확실히 변하고 있었다. 언제나 신경질적이기만 하던 성격이 조금씩 사라지고, 전보다 훨씬 밝고 명랑해진 것이다.

계속되던 비가 그친 날 아침, 메리는 어느 때보다 일찍 일어났다. 햇살이 창 안으로 손을 곱게 내밀고 있었다. 커튼을 젖혀 하늘을 바라보았다. 눈부시도록 맑게 갠 하늘은 한층 푸르렀다. 메리는 방 안으로 스며드는 햇살을 쥐어 보려 손을 뻗쳤다.

'봄이 오려나 봐. 햇살이 참 따뜻하네. 이제 새싹들이 돋아나기 시작했을지도 몰라.'

메리는 마냥 들떠 아침을 먹는 둥 마는 둥 하곤 곧바로 화원으로 향했다. 담쟁이덩굴에 덮인 비밀문 앞에 왔을 땐 설렘으로 가슴이 터질 것만 같았다. 메리는 지체하지 않고 비밀의 화원으로 들어갔다. 그 곳에는 디콘이 벌써 와 있었다.

"디콘! 금방 해가 떴는데, 정말 일찍 왔구나!"

디콘은 활짝 웃으며 메리를 바라보았다.

"이렇게 햇살이 고운 날에 늦잠을 잘 수가 있어야지. 들판에서 새싹이 움트는 소리가 들리는 것만 같았어. 여기까지 오는 내내 노래를 부르면서 달려왔지."

"그래, 나도 너무 너무 신난다!"

메리와 디콘은 그 동안 못 본 화원의 구석구석을 훑어보았다. 활짝 갠 아침의 화원은 마치 기쁨으로 가득 찬 것만 같았다. 마냥 신이 난 두 사람 앞에 방울새가 나타난 건 그 때였다. 메리와 디콘은 걸음을 멈추고 방울새가 분주하게 움직이는 모습을 가만히 바라보았다.

"벤 할아버지의 방울새야. 여기에다 보금자리를 만들 작정인가 봐."

메리도 방울새가 입에 무엇인가를 물고, 풀이 무성한 구석 쪽으로 날아가는 것을 보았다. 디콘이 조용히 하라는 몸짓으로 손을 입에 갖다

댔다.

"쉿!"

메리도 숨소리를 낮추며 움직이지 않고 제자리에 섰다.

"봄이 오면 새들도 자기들의 보금자리를 만들어. 우리가 함부로 간섭하면 새들과 친구가 될 수 없단다."

디콘은 나직하게 말했다.

"새에 관한 이야기를 하면 자꾸 간섭할 거 같아. 보금자리를 만들 동안은 방울새를 간섭하지 않도록 다른 이야길 하는 건 어때?"

메리는 코린에 대해 말하고 싶어 입이 근질근질했다.

"무슨 얘길?"

"코린이 누군지 혹시 아니?"

메리가 코린의 이름을 입에 올리자 디콘은 놀라움을 금치 못했다.

"코린을 알고 있었어?"

"지난 일주일 동안 날마다 코린과 얘기하면서 놀았는걸. 몸이 몹시 허약해서 자신이 죽을지도 모른다고 생각하고 있긴 하지만, 나랑 놀 땐 그런 걸 까맣게 잊어버려."

메리의 이야기를 듣고 나서야 디콘은 안심한 듯했다.

"정말 다행이야. 코린에 대해서는 아무도 말하지 않아. 나는 다만 코린의 아버지인 크레이븐 씨가 아들에 관한 이야기가 소문나는 걸 무척 싫어한다는 것 정도만 알고 있을 뿐이야."

"넌 코린을 어떻게 만났니? 마사 누나는 네가 울음소리를 듣고는 자꾸 물어 보는 통에 난처해서 혼났다던데."

"내가 여기 온 뒤로 이상한 울음소리를 세 번이나 들었어. 그것도 언제나 한밤중이었지. 마사에게 물어도 피하기만 할 뿐, 울음소리에 대해 아무 말도 해 주질 않았어. 그래서 난 혼자서라도 울음소리의 정체를 찾기로 한 거야."

메리는 코린을 만나기까지의 과정을 자세히 말한 뒤, 잠시 생각에 잠겼다.

"디콘, 아저씨는 정말 코린이 죽기를 바라실까?"

"아니, 그렇지 않을 거야. 하지만 코린이 태어나지 말았더라면 더 나았을지도 모른다고 생각하실 수도 있어. 만약 그게 사실이라면 코린은 정말 불쌍한 아이인 것 같아. 그리고 크레이븐 씨는 코린에게 돈으로 해 줄 수 있는 거라면 무엇이든 해 주시지만, 코린을 보고 싶어하진 않으신대. 엄마가 그러는데, 코린의 눈이 돌아가신 크레이븐 씨 부인의 눈과 똑같아서 그 애를 보는 걸 괴로워하신다고 해. 거기다가 꼽추가 된 코린을 보게 될까 봐 무척 두려워하시는 모양이야."

"맞아, 코린도 그걸 몹시 두려워해. 그 생각을 하고 있으면 미칠 것만 같대.”

“그런 생각을 자꾸 하니까 병이 나을 리가 없지.”

“어떻게 하면 코린을 건강하게 할 수 있을까?”

메리는 사뭇 진지하게 말했다.

“이 곳에 데려오면 좋지 않을까? 맑은 공기를 마시면서 새싹이 돋고 꽃이 피는 모습을 보면 건강해질지도 모르잖아!”

“정말 좋은 생각이야. 코린도 이 화원에 대해 무척 궁금해했어. 사실은 여기로 오고 싶으면서도 무서워하고 있거든. 우리가 도와주면 코린도 좋아할 거야. 너라면 휠체어를 밀 수도 있으니까 말야.”

메리와 디콘은 새로운 계획에 가슴이 뛰었다.

한밤중의 소동

다음 날에도 메리와 디콘은 화원에서 해야 할 일이 많아 아침 일찍 화원으로 나갔다. 잡초를 깨끗이 골라 내고 덩굴진 장미와 무성한 나무들을 잘라 보기 좋게 다듬었다. 땅을 파는 동안에는 디콘이 여러 가지 연장을 다루는 방법을 메리에게 가르쳐 주기도 했다. 그들은 온 마음을 다해 화원을 가꾸었다. 온갖 꽃과 나무들이 우거진 멋진 화원이 봄이면 곧 탄생할 것이었다.

열심히 일하던 메리가 잠시 일손을 놓았다.

“잠깐 쉬자.”

그제야 디콘도 하던 일을 멈추었다. 디콘은 허리를 펴다 말고 새삼스럽게 메리를 바라보았다.

“메리, 넌 옛날보다 많이 건강해지지 않았니?”

“응, 훨씬 건강해졌어. 밥도 많이 먹어서 살도 찌는 것 같아.”

누가 보아도 메리의 성격이 더 밝아지고 몸도 튼튼해진 걸 알 수 있을 정도였다. 메리는 마음이 뿌듯했다.

어스름한 저녁이 되어 집으로 돌아오는 동안, 메리는 오늘 있었던 이야기를 코린에게 해 주어야겠다고 생각했다. 그런데 방으로 들어서자 마사가 걱정스러운 표정으로 메리를 기다리고 있었다.

"왜 그래, 마사? 무슨 일 있었어?"

"하루 종일 도련님이 신경질을 부렸어요. 시계만 보면서 말이에요."

메리는 입술을 깨물었다. 자기밖에 모르는 코린에게 화가 치밀었다.

메리가 코린의 방문을 벌컥 열었다. 코린은 침대에 누운 채 메리를 못 본 척했다. 메리는 코린 곁으로 바싹 다가갔다.

"좀 일어나지 그래?"

메리는 언짢게 말했다.

"아침 일찍 일어나서 네가 오기만을 기다렸어."

코린은 메리와 눈도 맞추지 않고 말했다.

"점심때부터 등도 아프고 머리도 아프고 해서 누워 있었던 거야. 그런데 왜 오지 않았어?"

"화원에 할 일이 많아서 디콘과 온종일 일하느라 못 온 거야."

"디콘이랑 같이 있느라 못 왔단 말이니? 그렇다면 디콘을 화원에 오지 못하게 할 거야!"

잔뜩 화가 난 코린이 심술을 부렸다. 화가 난 메리의 얼굴이 홍당무처럼 붉어졌다.

"만약에라도 디콘을 못 오게 한다면 나도 이 방에 절대로 안 올 거야."

"억지로 오게 한다면?"

"그래도 오지 않아."

"끌어오면 되지."

"그렇게 해서 오면 좋을 게 뭐지? 어차피 난 너랑 눈도 안 맞추고 말한 마디 하지 않을 텐데."

"이 고집쟁이!"

분에 찬 코린이 소리를 질렀다. 메리 역시 지지 않았다.

"코린, 너처럼 제멋대로인 아이는 첨이야. 너야말로 고집스런 심술쟁이라고!"

"내가? 천만에! 널 붙들고 놓아 주지 않는 디콘만큼 제멋대로일까? 나는 혼자서 온종일 너만 기다렸다고!"

메리는 기가 막혔다.

"디콘은 이 세상 어느 아이들보다 좋은 아이야. 정말 천사 같은 아이라고!"

"참, 훌륭한 천사군. 겨우 오막살이집의 천한 자식 주제에!"

메리의 눈이 분노로 이글거렸다.

"너같이 야비한 샌님보단 백 배 천 배 나아!"

코린이 침대에 얼굴을 묻고 울기 시작했다. 스스로 가엾다는 생각이 들었던 모양인지 처량하게 한없이 울었다.

"내가 죽어가고 있으니까, 아무도 날 좋아하지 않아."

"넌 죽지 않아."

코린은 여전히 화가 풀리지 않았지만, 메리의 말이 놀랍기도 하고 기쁘기도 했다. 이런 말은 처음 들었기 때문이었다.

"보는 사람마다 내게 그렇게 말했어."

"아니야. 내가 그런 말을 곧이들을 줄 알아? 그러면 내가 동정할까 봐? 네 말은 믿지 않아. 넌 나쁜 아이니까!"

그러자 코린은 불같이 화가 치밀어 아픈 것도 잊어버리고 침대에서 벌떡 일어났다. 베개를 메리에게 집어던지며 소리쳤다.

"나가 버려!"

메리는 눈썹도 까딱하지 않았다.

"이제 절대로 여기에 안 올 테니 걱정 마!"

메리는 차갑게 돌아섰다.

밖으로 나오자, 코린을 보살피는 간호사 두 명이 방문 앞에 있었다. 그들은 방 안에서 벌어진 일을 엿듣고 있었던 모양이었다. 그런데 이상한 건 둘 다 손수건으로 입을 막고는 킥킥거리며 웃고 있는 거였다.

"뭐가 그렇게 우습죠?"

"둘이 싸우고 있는 게 너무 재밌어서 그만……. 서로 고집 부리는 게 대단하군요. 하긴 도련님에게는 싸울 사람이라도 있는 게 더 이로울지도 몰라요."

"왜 그렇죠?"

메리는 무슨 뜻인지 몰라 다시 물었지만, 두 간호사는 웃기만 할 뿐 자세한 이야기는 하지 않았다.

메리는 침울한 기분으로 자기 방을 향해 걸어갔다. 화원에서 돌아올 때까지만 해도 코린에게 이야기할 생각에 마음이 들떠 있었는데, 싸우고 말다니 메리는 더욱 속상했다.

마사가 방에서 메리를 기다리고 있었다. 메리가 방으로 들어가자 마사가 기다렸다는 듯이 메리에게 나무 상자 하나를 내밀었다.

"이게 뭐야?"

"주인님이 보내셨어요."

메리는 포장을 뜯고 상자를 열어 보았다. 거기에는 멋진 그림이 그려진 그림책 대여섯 권이 들어 있었다. 화원에 관한 책과 이야기책이었다. 그 외에도 장난감과 메리의 이름 머리글자가 금박으로 새겨진 필통과

펜, 잉크 같은 것들이 들어 있었다. 모두가 멋진 것들이었다. 아저씨가 자기를 잊지 않고 있다고 생각하자, 메리의 기분이 훨씬 나아졌다.

"아저씨께 감사의 편지를 써야겠어."

코린과 싸우지만 않았어도 당장 이 선물 상자를 들고 뛰어가 함께 놀았을 텐데, 메리는 너무 안타까웠다. 늘 죽을지도 모른다는 생각에 사로잡혀 있는 코린이 가여웠다.

"온종일 나만 기다렸다는데, 내가 너무 심했던 건 아닐까? 내일이라도 가 봐야겠어."

아침부터 화원에서 열심히 일한 메리는 몹시 고단했다. 그래서 저녁을 먹자마자 일찍 잠자리에 들었다. 그런데 자정이 거의 지날 무렵, 메리는 이상한 소리를 듣고 잠에서 깼다. 복도를 급하게 뛰어가는 소리가 들리는가 하면, 쾅쾅거리는 문소리가 울음소리와 함께 들려왔다.

"코린이 틀림없어. 굉장히도 소란스럽군."

메리는 몸서리를 쳤다. 두 손으로 귀를 막았지만 여전히 시끄러운 소리가 들렸다.

"어떡하지? 어떡하면 좋지?"

여태껏 저렇게 화를 내며 떠들어대는 걸 본 적이 없는 메리는 정말 난감했다. 그 때 방문이 거칠게 열리더니 간호사가 파랗게 질린 얼굴로 나타났다. 간호사는 숨을 헐떡거리며 말했다.

"도련님이 심하게 화를 내고 있어요. 아무도 어떻게 해볼 수가 없어요. 제발 아가씨가 가서 달래 보세요. 도련님은 아가씨를 좋아하잖아요."

메리는 어찌해야 할지 몰랐지만 곧 간호사를 따라 코린의 방을 향해 뛰어갔다. 그 때까지도 울음은 그칠 줄 몰랐다. 메리는 화가 나기 시작했다.

메리는 문을 덜컥 열고 코린의 침대께로 다가갔다.

"그만두지 못해? 네가 자꾸 이러니까 모든 사람이 널 싫어하는 거야."

아무도 손을 댈 수조차 없던 코린에게 이렇게 심한 말을 하며 소리를 지른 사람은 메리뿐이었다. 코린은 무서운 표정으로 메리를 돌아보았다. 하지만 메리는 눈하나 깜짝하지 않았다.

"네가 또다시 울면 난 더 큰 소리로 울어 버릴 거야."

코린은 눈물범벅이 된 채 심하게 몸을 떨었다.

"울음이 그쳐지지 않아."

코린은 떨리는 목소리로 겨우 말했다.

"아니, 넌 그칠 수 있어. 어서 그쳐!"

메리는 더 큰 목소리로 말했다.

"등에 혹이 생겼어. 내 손에 혹이 만져졌다구. 꼽추가 되고 나면 곧 죽게 될 거야."

코린이 흐느끼며 말했다.

"혹이 어디 있어? 있다면 그건 네 마음에 생긴 거야. 네 등에는 아무것도 없어. 어디 등을 돌려 봐. 여기 코린의 등을 좀 보여 줘요."

메리는 거칠게 말했다. 간호사는 조심스럽게 코린에게 다가왔다. 코린의 등을 볼 수 있도록 옷을 위로 젖혔다. 코린의 등은 보기에도 안쓰러울 정도로 뼈만 앙상했다. 메리가 코린의 등을 찬찬히 살폈다.

이윽고 메리가 입을 열었다.

"혹 같은 건 어디에도 없어. 너무 말라서 등뼈가 두드러진 것 외에는 아무것도 없어. 넌 등뼈를 만진 것뿐이야. 나도 말랐을 땐 너처럼 이랬어. 코린, 네 등에는 분명히 혹이 없어."

코린은 메리가 사실을 말하고 있는 건지도 모른다고 생각했다. 이제

까지 아무도 메리처럼 확실하게 말해 준 사람은 없었기 때문이었다. 코린은 적잖이 안심되었다.

"정말이지?"

코린은 눈물을 꿀꺽 삼키고 다시 물었다. 메리는 확신에 찬 듯 고개를 끄덕였다.

"이제 나도 남들처럼 클 수 있어?"

이번에는 코린이 간호사에게 물었다.

"그럼요. 맑고 신선한 공기도 마시면서 지내시면 틀림없이 건강해질 거예요."

안정을 되찾은 코린은 메리에게 손을 내밀어 화해를 청했다. 메리는 편안한 마음으로 코린의 손을 마주 잡았다.

"메리, 나도 바깥에 나가고 싶어. 디콘이 휠체어를 밀어 준다면 좋을 텐데."

코린과 메리가 화해한 모습을 본 메들록 부인과 간호사들은 안심하며 방을 나갔다.

"메리. 근데, 비밀의 화원에 들어가는 방법은 알아냈어?"

"그럼. 자고 일어나면 더 자세히 말해 줄게."

"화원에 꼭 가 보고 싶어. 저번처럼 네가 상상하고 있는 화원에 대해 들려주지 않을래? 그럼 난 잠이 올 것도 같은데."

"그래, 그래. 눈을 감아."

메리는 코린의 손을 잡고 조그만 목소리로 천천히 이야기를 했다. 코린의 숨결이 점점 잦아들고 있었다. 어느 새 비밀의 화원에 대해 꿈을 꾸고 있는 것만 같았다.

메리는 잠든 코린을 한참 동안 바라보았다. 오늘 밤은 메리에게 매우 길고 의미 있는 밤임에 틀림이 없었다.

미슬드웨이트의 봄

간밤의 소동 탓이었는지 메리는 늦잠을 잤다. 그래서 방에까지 아침 식사를 차려 온 마사는 코린의 소식을 전해 주었다.

"어젯밤에 너무 울어서 그런지 도련님은 열이 조금 있어요. 하지만 아가씨가 빨리 와 주었으면 하던걸요. 도련님이 어째서 아가씰 좋아하게 되었는지 모르겠어요. 지난밤에는 눈물나도록 꾸짖었다면서요? 다른 사람들은 아무도 그러지 못하는데 정말이에요? 그런데도 도련님은 아가씨더러 꼭 와 달라고 하셨어요. 도련님이 그렇게 간곡하게 부탁하는 건 처음 보았다니까요. 정말 이상해요."

메리는 천천히 밥을 먹으면서 마사의 이야기를 잠자코 들었다.

"그래, 코린에게 해야 할 말도 있으니까 가 봐야겠어."

식사를 마친 메리는 밖으로 나갈 채비를 하고 나서 코린에게 갔다. 메리의 옷차림을 보자 코린은 조금 실망한 듯했다.

"어서 와."

코린이 핏기 없는 얼굴로 힘없이 말했다.

"오늘 아침엔 열도 있는데다 온몸이 다 아파. 넌 괜찮니?"

"응, 난 괜찮아. 나, 지금 화원에 가는 길이야. 하지만 금방 돌아올게."

메리의 말에 코린은 금방 생기가 돌았다.

"간밤에 나도 화원이 나오는 꿈을 꾸었어. 온갖 꽃과 나무, 새들과 함께 춤을 추었지. 네가 돌아올 때까지 난 꿈에 보았던 화원을 생각하고 있을게."

메리는 잠깐만 기다리라고 말하고는 코린의 방을 나섰다.

화원에 도착했을 땐 벌써 디콘이 와 있었다. 그러나 오늘은 혼자가 아니었다. 눈에 익은 여우와 까마귀, 그리고 처음 보는 망아지가 디콘 옆에 있었다.

"이 망아지 귀엽지? 순해서 내가 타고 다녀도 괜찮아. 내가 직접 이름을 점프라고 지었어."

그리고는 호주머니에서 다람쥐 두 마리를 꺼내어 각각 '밤톨이', '조개딱지'라고 소개했다. 메리도 처음 보는 동물들에게 환하게 웃어 주었다. 하지만 코린이 기다리고 있을 거라는 생각이 문득 떠올랐다. 메리는 서둘러 간밤에 일어났던 일에 대해 말하기 시작했다.

"메리, 저길 좀 봐. 새싹이 눈을 뜨고 새들도 노래하고, 장미꽃도 봄을 준비하고 있잖아. 봄이 이제 눈앞에 왔어. 그런데 코린이 방 안에서 그렇게 짜증만 내고 있으니……. 우리가 코린을 여기로 데려오자. 그럼 건강을 되찾을지도 몰라."

메리의 이야기를 다 듣고 나자 디콘은 진지하게 말했다.

"좋아. 나도 그런 생각을 했어. 내가 코린에게 내일 아침에 널 만나고 싶은지 물어 볼게."

메리는 화원에 더 머물고 싶었지만 코린 생각에 발길을 돌렸다.

메리는 집에 도착하자마자 코린의 방으로 향했다. 코린의 얼굴은 또다시 환해졌다.

"메리, 네게서 신선한 향기가 나는 것 같아."

메리가 코린 곁으로 다가갔을 때 코린이 말했다.

"이제 완연한 봄이야. 바깥에는 신선하고 향긋한 냄새로 가득해."

메리는 활짝 웃으며 디콘의 동물들에 대해 말해 주었다. 메리의 이야기를 들은 코린의 얼굴에는 호기심이 가득했다.

"나도 디콘을 만나고 싶어."

열심히 메리의 이야기에 귀기울이던 디콘이 느닷없이 말했다.

"정말? 참 잘됐다. 디콘이 내일 아침 너를 만나러 온다고 했어. 동물들도 함께."

코린은 깜짝 놀랐지만 무척 반가워하는 기색이었다.

"그리고 비밀의 화원도 구경할 수 있게 됐어."

코린은 거의 만세라도 부를 것처럼 벌떡 일어났다. 코린이 진심으로 기뻐하는 걸 보자, 메리는 사실대로 말해야 될 것 같았다.

"사실은 말이야, 오래 전부터 그 비밀의 화원 문은 열었어. 우연히 열쇠를 내가 주웠었거든. 아직 아무도 몰라. 너를 믿을 수가 없어서 말을 하지 못했던 거야."

메리가 망설이며 말했다. 코린은 아무래도 좋았다. 내일 아침이면 꿈에도 그리던 비밀의 화원에 직접 갈 수 있게 된 것이다.

드디어 이튿날 아침이 밝았다. 코린은 아침부터 기분이 너무 좋았다. 비밀의 화원에 가는 것이 마치 자신을 묶어 둔 끈을 풀어 버리는 것 같은 기분이 들어서였다. 한참 설레고 있을 때 메리가 나타났다. 아침 공기의 싱그러움이 메리에게서 느껴졌다.

"바깥이 정말 아름다워! 이제 완전히 봄이야."

코린은 메리가 말하는 봄을 직접 보고 싶었다.

"창문 좀 열어 줄래?"

코린은 봄이 무얼 말하는 것인지 책에서나 읽었을 정도였다. 하지만 창문을 열어 신선한 공기를 쐬고, 새들의 노랫소리를 듣고 있으니 기분이 무척 상쾌해졌다.

"숨을 크게 한 번 쉬면서 공기를 마음껏 마셔 봐."

코린은 메리가 하라는 대로 했다. 지나가던 간호사가 창문을 연 채 크게 심호흡을 하고 있는 두 사람을 보고 깜짝 놀라 호들갑을 떨었다.

"도련님, 괜찮으세요?"

"좋아. 이렇게 좋은 줄 몰랐어. 오늘 아침 식사는 메리와 같이 하고 싶어. 그리고 좀 있다가 사내아이 하나가 올 거야. 마사의 동생인데 이름은 디콘이야. 나를 만나러 오는 거니까 곧장 이쪽으로 안내해. 참, 동물들도 함께 들여보내 줘."

간호사는 코린이 하는 말 한 마디 한 마디에 깜짝 놀라 아무 말도 할 수가 없었다.

곧 식사가 날라져 왔다. 메리와 코린은 신선한 공기로 가득한 방 안에서 아침을 먹었다. 코린은 전에 없이 아주 맛있게 음식을 먹었다.

"코린, 어디선가 까마귀 소리가 들리지 않니?"

때마침 음식을 다 먹은 코린은 창 쪽으로 귀를 기울였다.

"그래, 들리는 것 같아."

"이제 곧 디콘이 나타날 거야."

얼마 후 복도에서 발자국 소리가 났다. 디콘의 투박한 구두 소리일 거였다. 메리와 코린은 아무 말도 하지 않고 점점 가까이 들려오는 발소리를 들었다. 발자국 소리가 멈췄을 때 메리가 얼른 방문을 열어 주었다. 디콘은 동물들과 함께 바깥에 서 있었다.

이윽고 디콘이 동물들과 함께 방 안에 들어서며 인사를 했다. 코린이 천천히 일어나서 그들을 물끄러미 바라보았다. 마치 맨 처음 메리를 만났을 때처럼. 하지만 지금의 코린은 디콘과 동물들을 아주 신기하고 특별하게 바라보고 있었다.

디콘은 수줍어하거나 어색해하는 기색은 전혀 없이 코린에게 가까이 다가갔다. 그리곤 아기양을 코린의 무릎 위에 조심스럽게 내려놓았다. 아기양은 코린의 따뜻한 옷 속으로 머리를 돌려 코를 문질렀다. 코린은 태어나서 처음으로 동물을 만져 보는 거라서 어찌할 바를 몰랐다.

"왜 이러지?"

"엄마의 젖을 찾는 거예요. 도련님은 처음 보는 거죠?"

디콘이 대답하고 주머니에서 우유병을 꺼내 들었다.

"얼마 전에 들판을 지나는데 숲 속에서 울음소리가 나지 않겠어요? 그래서 울음소리가 나는 쪽으로 가 봤더니 가엾게도 이 아기양이 죽어가고 있었어요."

디콘이 이렇게 말하고는 아기양에게 우유병을 물렸다. 아기양은 우유병을 쪽쪽 잘도 빨아먹었다.

코린은 이 모든 광경이 신기하고 재미있을 따름이었다. 그래서 디콘에게 이것저것 수도 없이 질문을 퍼부었다. 그러나 디콘은 귀찮아하는 기색도 없이 일일이 대답해 주었다. 디콘이 이야기를 하고 있는 중에도 동물들은 쉴새없이 들락거렸다.

메리와 디콘, 그리고 코린은 그림책도 보고 여러 가지 이야기도 나누었다. 물론 비밀의 화원에 관한 이야기는 빼놓지 않았다.

어느덧 헤어질 시간이 되자, 코린은 다시 한 번 말했다.

"비밀의 화원에 꼭 갈 거야."

화원에 가는 날은 생각보다 지체되었다. 변덕스런 봄 날씨가 계속되는 동안 바람까지 세차게 불어 코린이 감기에 걸리고 만 것이다. 하지만 코린은 몸이 아팠던 지난날처럼 심하게 짜증을 내지는 않았다. 메리와 디콘이 늘 찾아와 즐거운 이야기로 코린을 위로해 주었기 때문이었다.

물론 그들에게 가장 중요한 건 화원에 몰래 들어가는 것이었다. 어떻게 하면 코린을 데리고 비밀의 화원에 몰래 갈 수 있을까 하고 그들은 모이기만 하면 머리를 한데 모았다. 그들은 궁리 끝에 정원사인 로치와 정원을 구경하러 가는 것처럼 꾸미는 게 가장 좋은 방법이라는 결론을 내렸다. 이제 곧 그토록 기다리던 비밀의 화원을 셋이 함께 갈 것이다.

드디어 비밀의 화원에 가기로 결정한 날이 밝았다. 코린은 아침부터 정원사 로치를 불렀다. 로치는 뜬금없는 부름에 자기도 모르게 긴장했다. 저택의 정원사로 일하기 시작한 날부터 이 때까지 한 번도 도련님을 본 적이 없었기 때문이었다. 로치는 경직된 얼굴로 메들록 부인의 안내를 받아 코린 앞에 섰다.

"당신이 로치 씨인가요?"

"네, 도련님. 처음 뵙겠습니다."

"나는 당신에게 중요한 부탁을 하려고 부른 거예요. 오늘 오후에 나는 정원을 구경하러 갈 예정입니다. 당신이 해 주었으면 하는 일은, 내가 정원 구경을 하는 동안 아무도 정원에 들어오지 못하게 하는 거예요. 해 줄 수 있겠어요? 오후 2시 정도에 구경하러 갈 거예요."

"그럼요, 도련님. 말씀대로 하겠습니다."

로치는 애당초 정원 출입은 한 적도 없는 꼬마 도련님이 무슨 마음으로 정원 구경을 하려고 하는지 궁금했다. 그러나 하인인 자신이 상관할 바 아니었기 때문에 대답만 하고 방을 나왔다.

점심식사를 마친 후 코린은 간호사의 도움으로 외출 준비를 모두 마쳤다. 아래층에서는 디콘이 미리 휠체어를 준비하고 있었다. 하인들의 도움을 받으며 코린은 휠체어에 무사히 앉았다.

"디콘과 메리하고만 같이 있고 싶어요."

코린의 말에 두 사람을 제외한 몇몇 사람들이 자리를 떴다.

이제 비밀의 화원을 향해 출발할 차례였다. 세 사람의 얼굴은 설렘과 기대로 가득했다. 디콘이 휠체어를 조심스럽게 밀고, 메리는 그 옆에서 나란히 걸었다. 코린은 호수처럼 맑고 푸른 하늘을 쳐다보며, 들판의 신선한 공기도 마음껏 마셨다.

이윽고 담쟁이덩굴이 우거진 높은 담 앞에 이르렀다.

"바로 여기야!"

메리가 반가운 듯이 소리쳤다.

"문이 어디에 있어? 보이지 않는데?"

코린은 담쟁이덩굴만 우거진 벽을 보며 어리둥절했다.

"나도 처음엔 쉽게 찾지 못했어."

메리가 길게 늘어져 있는 덩굴을 걷어올렸다. 그러자 손잡이가 달린 문이 제 모습을 드러냈다. 메리가 덩굴을 걷어올린 채 뿌듯한 듯 말했다.

"여기가 문이야."

코린은 마치 마술쇼를 보는 것처럼 신기해했다. 세 사람은 화원 안으로 들어갔다. 그리고는 누가 볼세라 화원의 문을 닫아 버렸다.

화원에 들어간 코린은 황홀한 듯 한참 동안 멍한 얼굴이었다. 마치 초록빛 베일이 쳐진 것같이 나무와 꽃에는 엷고 보드라운 잎들이 가지런히 달려 있었다. 그 곳에는 흰 꽃과 금빛·보랏빛 꽃들이 웃고 있었고, 높은 나무 위에서는 새들의 노랫소리가 들렸다. 꿀벌의 윙윙거리는 소리까지 함께 어우러져 마치 연주곡처럼 들렸다. 게다가 향긋한 내음이 코린의 코 끝을 스쳤다.

아직 감기가 완전히 낫지 않아 파리하게 핏기가 없던 코린의 얼굴에 발그레한 기운이 감돌았다. 코린은 화원의 풍경에 넋이 나간 듯이 중얼거렸다.

"난 건강하게 살 거야. 그래서 언제까지나 이 아름다운 풍경을 볼 거야. 메리, 난 죽지 않아."

코린뿐만 아니라 메리와 디콘 역시 오늘처럼 화원의 풍경이 아름답게 느껴진 적이 없었다. 메리도 탄성을 질렀다.

"세상에서 이 곳처럼 멋지고 아름다운 곳은 어디에도 없을 거야!"

"난 이제 곧 열세 살이 되지만 이렇게 멋진 날은 처음이야!"

디콘도 빠질세라 감탄했다. 모두 아름다운 화원에 푹 빠져 있었다.

얼마 후, 디콘은 코린의 휠체어를 사과나무 아래로 밀고 갔다. 코린은 메리와 디콘이 화원에서 간단한 일을 하는 동안 그들을 바라보고 있었다. 메리와 디콘은 일하는 동안 발견한, 막 피어나려는 봉오리, 푸른 잎, 풀 위에 떨어진 딱따구리의 털과 깨진 새알 껍질 같은 것을 코린에게 가져다 보여 주었다. 코린은 모두가 그저 신기할 따름이었다. 코린은 정신없이 그것들을 구경하다가 갑자기 뭔가 생각나는 게 있는지 주위를 두리번거리며 디콘을 불렀다.

"디콘, 방울새는 어딨어?"

"이제 곧 날아올 거예요. 새끼들이 알에서 깨어난 지 얼마 되지 않아서 먹이를 나르느라 지금 몹시 바쁘거든요."

말이 끝나기가 무섭게 저쪽에서 방울새가 날아오는 것이 그들의 눈에 보였다. 디콘의 말대로 방울새는 부리에 뭔가를 물고 있었다. 그 모습을 보자 코린도 간식이 생각나는 모양이었다.

"메리, 우리도 맛있는 과자랑 차를 가져와서 먹으면 어떨까?"

"좋은 생각이야."

메리는 빠른 걸음으로 토스트와 차, 금방 구운 과자를 바구니 가득 담아 왔다. 셋은 풀밭 위에 보자기를 펴고 앉아 가져온 간식들을 맛있게 나눠 먹었다. 시간이 생각보다 한참 지났다는 걸 깜빡하고 있었는데, 코린의 말에 모두들 배가 출출해진 것이었다.

어느 새 햇살이 서쪽으로 넘어가고 있었다. 화원에도 짙은 황금빛이 퍼져 갔다. 세 사람은 헤어지기를 아쉬워하는 표정이었다.

"내일 또 와야지."

코린은 안타까워하며 말했다.

"내일은 도련님이 여기서 걸어다니고 흙장난도 하게 만들 거예요."

깜짝 놀란 코린의 눈이 왕방울만큼 커졌다.

"내가? 내가 어떻게?"

"도련님도 남들과 똑같은 다리를 가지고 있잖아요. 할 수 있다구요!"

디콘은 코린에게 용기를 북돋워 주면서 다시 한 번 말했다.

"겁만 내지 않으면 무엇이든 할 수 있어요."

코린은 디콘의 말에 잠자코 있었다. 아직은 믿을 수 없는 일처럼 여겨졌기 때문이었다.

"그럴까?"

대답을 하며 고개를 끄덕이던 코린이 갑자기 소리를 질렀다.

"저길 봐, 누가 우릴 보고 있어!"

코린이 가리킨 쪽에서는 벤 할아버지가 성난 얼굴로 서 있었다. 할아버지는 세 아이가 자신을 발견한 걸 깨닫고는 화난 목소리로 말했다.

"메리, 넌 무엇 때문에 이런 터무니없는 짓을 한 거냐?"

담장 너머에 있는 벤 할아버지의 노여움이 꽤 떨어진 곳에 있는 메리에게까지 전해졌다.

"할아버지, 문은 방울새가 가르쳐 주었어요."

메리의 말에 벤 할아버지는 가당치도 않다는 표정을 지었다.

"뭐라고? 방울새라고? 이제 거짓말까지 할 테냐? 바른대로 말해라, 어서!"

코린은 무슨 영문인지 모를 이야기를 듣고 있다가 디콘을 불렀다.

"디콘, 날 저 할아버지 앞으로 데려다 줄래?"

디콘은 코린의 말대로 휠체어를 밀어 벤 할아버지 바로 앞으로 데려다 주었다. 코린은 매우 침착한 어조로 말했다.

"할아버지, 내가 누군지 아세요?"

벤 할아버지는 저쪽에서 다가온 병약해 보이는 소년을 한참 동안 바라보았다. 벤 할아버지의 얼굴에 미세한 변화가 일어났다.

"알겠다, 알겠어요. 이 집 주인님의 아들이군요. 그런데 여기는 어떻게 왔어요? 사람들 말로는 병신이라고 하던데?"

코린은 병신이란 말에 그만 화가 났다.

"뭐라고? 내가 병신이라고!"

"도련님은 등이 굽은 꼽추에다 다리도 굽어서 걸을 수조차 없다고 하던걸요."

코린은 더 이상 그대로 있을 수가 없었다. 사람들이 퍼뜨리고 다니는 소문에 화가 난 코린은 오기가 생겼다. 일찍이 가져 보지 못한 힘이 온몸에서 솟아나는 것만 같았다.

"디콘, 날 좀 도와줘!"

디콘이 곧 코린 옆에 섰다. 코린은 다리 덮개를 걷어치운 다음 디콘의 부축을 받았다. 그러자 코린은 풀밭을 딛고 똑바로 일어섰다. 허리를 꼿꼿이 편 채, 드디어 두 발로 땅 위에 선 것이었다.

"자, 봐요. 이래도 내가 병신인가요?"

벤 할아버지뿐만 아니라 디콘과 메리도 깜짝 놀랐다.

"잘못했어요. 모두들 거짓말을 했군요. 참 다행이에요. 정말로 다행입니다."

코린은 흔들림도 없이 똑바로 서서 벤 할아버지를 향해 말했다.

"나는 아버지가 안 계시는 동안 이 집의 주인이에요. 할아버지는 우리 집에서 일하는 사람이니까 내 말을 들어야 할 의무가 있어요. 지금 우리가 이 화원에 들어온 걸 아는 사람은 아무도 없어요. 그러니 할아버지도 이 일을 절대 입 밖에 내서는 안 됩니다. 비밀을 꼭 지켜

주세요."

벤 할아버지는 고개를 끄덕이며 대답했다.

"네, 알겠어요, 도련님."

대답을 마친 벤 할아버지는 담 아래로 내려가서 보이지 않았다.

"할아버지를 여기로 데려와 줄 수 있겠니?"

코린은 메리를 향해 말했다. 곧 메리가 문 쪽으로 뛰어갔다.

"내가 설 수 있다니, 혹시 네가 요술을 부린 건 아냐?"

코린은 자신도 믿기지 않는다는 듯 자기의 다리를 내려다보았다.

"두려운 생각만 버리면 언제든 설 수 있고, 걸어다닐 수 있다고 좀전에 말했잖아요."

말은 그렇게 했지만 디콘 역시 코린의 용기가 놀랍기 그지없었다.

"난 벤 할아버지가 오면 저 나무 밑에 가서 서 있을 거야."

코린이 나무가 있는 쪽으로 조금도 흔들림 없이 걸어갔을 때, 벤 할아버지가 메리와 함께 오는 것이 보였다. 코린은 더욱 당당한 모습으로 그들이 다가오길 기다렸다.

"날 자세히 봐요. 내가 왜 꼽추에 걷지도 못하는 병신인가요?"

"모든 사람들이 그렇게 지껄이고 다녔어요. 하지만 아니에요. 도련님은 건강하십니다."

코린은 만족한 듯이 고개를 끄덕였다.

"그런데 할아버지는 여기서 무슨 일을 맡고 있나요?"

"나는 뭐든지 해요. 이건 모두 도련님의 어머니 덕분이죠. 어머니는 저를 좋아하셨거든요."

"우리 어머니가?"

"그렇습니다. 어머니는 이 화원을 무척 좋아하셨지요."

"이제 여기는 내 화원이에요. 나는 여기가 너무 좋아서 날마다 올 생각이에요. 그러나 비밀로 해 주었으면 좋겠어요. 우리가 여기에 오는 것을 누가 알면 안 된단 말이에요. 디콘과 내 사촌 메리가 여기를 정성껏 가꾸어서 이만큼 살려 놓았어요. 이제부터는 할아버지도 좀 도와주세요."

벤 할아버지는 빙긋이 웃었다.

"전에도 여기에 몰래 잘 왔었답니다."

"여긴 10년 동안 아무도 들어오지 못했어요. 그런데 어떻게……?"

"전 문을 통해서가 아니라 담을 넘어 왔지요. 2년 전부터는 다리가 아파서 들어오지 못했지만."

벤 할아버지의 말을 듣고 있던 메리의 손에서 조그만 삽이 툭 떨어졌다. 모두의 시선이 떨어진 삽으로 향했다. 코린은 그걸 보더니 천천히 다가가서 손을 내밀어 삽을 주웠다. 앙상하게 야윈 손 끝이 떨리고 있었다. 코린은 마침내 사과나무 아래에 앉아 흙을 파 보았다.

"난 이제 걸을 수도 있고, 이렇게 흙을 팔 수도 있어!"

코린은 스스로 너무나 뿌듯한 나머지 자랑스러운 목소리로 말했다. 벤 할아버지도 감격스러운 표정으로 말했다.

"도련님은 이제 무엇이든 잘할 수 있을 거예요. 흙을 판 곳에다가 꽃을 심어 보는 건 어떨까요?"

어느 새 벤 할아버지는 장미꽃 화분을 가져왔다. 코린은 디콘이 건네주는 장미꽃을 구덩이에다 심었다.

"다 했어!"

코린의 얼굴은 벌겋게 상기되었지만 기분 좋게 웃고 있었다.

"곧 해가 질 것 같군요."

벤 할아버지가 하늘을 보며 말했다.

"그래요? 그럼, 난 나무에 기대어 해가 지는 걸 바라보고 있을래."

코린은 힘들지도 않은지 나무 곁으로 다가갔다. 코린은 디콘의 부축을 받으며 나무에 기댄 채 지는 해를 바라보았다. 너무나 행복한 오늘 하루를 생각하자 빙그레 웃음이 나왔다.

그로부터 코린은 거의 매일 화원에 나갔다가 해질 무렵에 돌아오는 것이 하루 일과가 되었다. 하지만 이런 코린을 크레이븐 의사나 메들록 부인은 알 리가 없었다. 여전히 그들만의 비밀이었기 때문이었다.

어느 날 아침, 크레이븐 의사는 좋아진 코린의 혈색을 보고 넌지시 물었다.

"대체 요즘 어딜 그렇게 나가니?"

"나는 어디든 갈 수 있어요."

"그야 그렇지. 하지만 아버지에게 알리면 더 기뻐하시지 않을까?"

코린은 고개를 저었다.

"아뇨. 알리고 싶지 않아요. 오늘 밤에라도 나빠질 수 있잖아요? 아버지를 실망시키고 싶지 않아요."

크레이븐 의사는 고개를 끄덕이더니 밖으로 나갔다.

맑은 공기를 쐬며 산책을 하고 화원 일도 가끔 거들었더니 코린의 식욕은 예전보다 훨씬 왕성해졌다. 혈색이 좋아진 것도 모두 그 때문일 것이다. 하지만 코린은 비밀의 화원에 나가는 것도, 자신의 병이 다 나았다는 것도 아직은 주변 사람들에게 알리기가 싫었다. 메리 역시 마찬가지였기 때문에 둘은 머리를 맞대고 궁리했다.

"예전처럼 신경질도 좀 내고 식사하는 양도 약간씩 줄여야 할 것 같아. 그래야 우리 비밀을 오래 지킬 수 있을 거야. 그렇지?"

하지만 이제 코린이 그렇게 하는 건 쉬운 일이 아니었다. 그만큼 건강해진 것이다.

다음 날, 세 사람은 여전히 비밀의 화원에서 만났다. 얼마 동안 화원을 돌아보며 산책을 하고 즐겁게 이야기를 나누었다. 그런데 함께 걸어가던 디콘이 장미 덩굴이 있는 쪽으로 뛰어갔다. 코린과 메리는 느닷없는 디콘의 행동에 걸음을 멈추었다. 디콘은 장미 덩굴을 헤치고 무엇인가를 찾고 있었다. 메리와 코린이 궁금해서 가까이 다가가 보니 디콘의 손에는 깡통 두 개가 들려 있었다. 거기에는 우유 한 통과 아직도 온기가 남아 있는 따끈한 빵이 들어 있었다.

코린과 메리는 감탄을 금치 못했다. 그렇지 않아도 식사량을 줄이느라 배가 고픈 참이었다.

"어머니한테 우리 이야길 했어. 비밀은 꼭 지키실 분이니까 아무 걱정 안해도 돼. 이것도 어머니가 너희들 주라고 챙겨 주신 거란다."

코린과 메리는 저절로 탄성이 흘러나왔다.

이 날부터 계속해서 디콘의 어머니는 디콘에게 빵과 우유를 챙겨 보냈다. 메리는 진심으로 고마움을 느꼈다.

'분명히 넉넉지 않은 살림일 텐데……'

결국 메리와 코린은 디콘의 어머니에게 약간의 돈을 보내 드리기로 하였다.

디콘의 어머니가 챙겨 주는 도시락에다 화원에서 구워 먹는 고구마며 달걀은, 메리와 코린이 식사를 제때 챙겨 먹지 않아도 될 만큼 배를 불려 주었다. 영문을 모르는 저택의 하인들만 어리둥절할 뿐이었다.

"두 분 모두 식사도 제대로 하지 않는데 어째서 저렇게 살이 오르는지 참 신기한 일이야."

크레이븐 의사도 2주 만에 코린을 만났을 때, 전보다 훨씬 건강해진 코린의 모습에 깜짝 놀랐다. 코린의 얼굴은 이제 완전히 창백한 빛이 가시고 생기로 가득 찼다. 거기다 두 눈이 반짝거리고 볼에는 살이 통

통하게 올랐다. 크레이븐 의사가 메들록 부인을 만나 코린의 모습에 놀라움을 표하자, 메들록 부인이 말했다.

"참 알 수 없는 일이지요. 도련님은 늘 메리와 즐겁게 논답니다. 얼굴에 살찐 걸 보셨지요? 혈색도 무척 좋아지셨어요."

크레이븐 의사는 고개를 끄덕였다. 코린의 건강이 좋아진 것은 분명한 사실이었다.

"아이들을 그대로 내버려 두는 것이 가장 좋을 것 같군요."

크레이븐 의사는 혼자서 중얼거렸다.

메리와 코린은 집안 사람들의 눈을 속이면서, 비밀의 화원에서 신나게 놀았다. 디콘과 함께 화원에서 놀면 온갖 신기한 일들이 많이 생겼다. 다 죽어 가던 장미가 꽃을 피웠고, 방울새는 보금자리를 만들어 알을 품었다. 그런 모습들을 보면서 코린은 완전하게 걷기 위한 연습을 함께 했다. 코린은 자기 앞에 닥친 모든 것이 신기하고 새로울 따름이었다.

그러다가 비라도 내리는 날이면 코린은 심심하기 짝이 없었다. 매일 화원에 나가 바깥 바람을 쐬었으니 집 안에서 아픈 척하고 누워 있는 게 여간 힘들지 않았다. 코린이 아픈 사람이 아니었기 때문에 그건 더 힘든 일이었다.

메리는 몹시 지루해하는 코린을 보다가 좋은 생각이 떠올랐다.

"코린, 넌 이 집에 방이 몇 개쯤 있는 줄 아니?"

"글쎄. 상당히 많겠지, 뭐."

"아무도 들어가지 않는 방이 거의 100개나 돼. 언젠가 내가 그 방들을 둘러보려다가 복도에서 길을 잃어버려 한참 동안이나 쩔쩔맸다니깐. 내 방을 찾을 수가 있어야지."

"빈 방이 100개나 된다고? 우리, 오늘 가 보는 건 어떨까? 왠지 재밌을 거 같은데?"

코린은 간호사를 불렀다.

"이제부터 우리는 이 집에서 내가 가 보지 못한 곳을 구경할 거예요. 휠 체어를 갖다 줄래요? 아, 그리고 내가 부를 때까지는 아무도 따라오지 못하게 해 주세요."

간호사는 코린이 말한대로 하겠다고 대답한 뒤 방을 나갔다. 코린과 메리는 마주 보며 싱긋 웃었다. 이제부터 재밌게 놀 일만 남은 것이다.

둘은 복도에 아무도 없음을 확인한 뒤 여기저기 뛰고 달리며 집을 구경했다. 그러다가 한 초상화 앞에 섰다.

"이 복도에 걸린 그림들의 주인공은 우리 조상일 거야. 녹색옷을 입은 소녀도 우리 할머니의 할머니쯤 되겠지."

코린과 메리는 한바탕 웃었다.

"정말 신나고 재밌어. 내가 이처럼 신기한 집에 살고 있는 줄은 미처 몰랐어."

인도식으로 꾸며진 방에도 가 보고, 갖가지 신기한 장식과 그림들과 가구들을 구경했다. 그렇게 한참을 놀다 보니 슬슬 배가 고파왔다. 아니나다를까, 벌써 점심 시간이 되었던 것이다. 메리와 코린은 그 어느 때보다 맛있게 점심을 먹었다.

잠시 후에 메리는 또 코린의 방에 놀러 갔다. 그런데 방이 좀전과 약간 달라져 있었다. 지금까지 코린의 방 한쪽을 드리우고 있던 커튼이 젖혀진 것이었다.

"커튼을 젖히니까 방 안이 달라 보여."

"그저께 밤에 자다가 달빛이 너무 환하게 비치어서 그만 잠에서 깼지. 방 안이 대낮처럼 밝았거든. 달빛이 커튼까지 비추고 있었어. 일어나서 커튼을 젖혀 보니까 어머니가 환하게 웃으며 나를 내려다보고 계셨어. 전에는 어머니의 웃는 초상화를 보면 늘 아프기만 한 내 자신이 부끄러워 화가 났었어. 그런데 지금은 이렇게 서 있는 나를 기쁜 듯이 바라보고 계시는 것같거든. 커튼을 걷어 버리기로 한 건 그 때문이야."

"코린, 넌 어머니의 영혼을 그대로 닮았을 거야."

"그럼 아버지도 날 좋아하시게 될까?"

"너도 그러길 바라는 거니?"

"만약 아버지가 나를 보고 싶어하신다면 내가 이렇게 건강해진 이야기를 전부 해 드릴 텐데."

코린은 간절한 눈빛으로 어머니의 초상화를 바라보며 말했다.

비가 그친 날, 세 사람은 다시 화원에서 만났다. 촉촉이 비를 맞은 꽃과 나무들은 더욱 선명한 푸른빛을 띠었고, 새싹은 하루가 다르게 자랐다. 하지만 잡초들도 함께 자라서 세 사람은 할 일이 많아졌다. 메리와 디콘은 며칠 동안 잡초 뽑기에 여념이 없었다. 코린도 이제는 메리와 디콘과 함께 잡초 뽑는 일을 도왔다.

"나는 이제 완전히 건강해진 게 틀림없어. 언제까지든 살 수 있을 것만 같아."

즐거운 듯 말하는 코린이 갑자기 말을 멈추고 뒤를 돌아보았다.

"저기, 누가 오는 모양이야."

코린의 말에 메리와 코린도 눈을 동그랗게 뜬 채 뒤를 돌아보았다.

"어머니다!"

디콘이 벌떡 일어나며 말했다.

"코린을 만나고 싶다고 하셔서 내가 가르쳐 드렸어요."

디콘은 쑥쓰러운 듯이 말했다. 메리와 코린은 반색을 하며 자리에서 일어나 디콘의 어머니에게 다가갔다.

"아주머니를 꼭 한 번 뵙고 싶었어요. 아주 오래 전부터 말이에요."

디콘의 어머니는 코린을 보자 입술이 파르르 떨리면서 한줄기 눈물을 흘렸다.

"오, 하느님. 감사합니다."

"제가 소문대로가 아니어서 깜짝 놀라셨죠?"

코린은 뿌듯한 듯 말했다.

"어머니를 꼭 닮은 거 같아요. 이렇게 건강해졌다니 정말 놀라워요."

디콘의 어머니는 코린의 어깨를 어루만지며 곁에 있던 메리를 보았다.

"아가씨도 많이 건강해졌군요. 아가씨는 어머니를 닮아 이 다음에 어른이 되면 장미꽃처럼 아름다워질 거예요."

메리는 가슴이 두근거릴 정도로 기분이 좋았다. 자신도 어머니처럼 아름다워질 수 있다는 것이 믿어지지 않았다. 메리와 코린은 자신들을 향해 다정하게 웃어 주는 디콘의 어머니가 무척 좋았다.

그들은 사과나무 아래에 모여앉아 많은 이야기를 나누었다. 아이들은 따뜻한 인정과 굳센 의지가 밴 디콘 어머니의 얼굴을 줄곧 바라보았다. 그 때, 코린이 느닷없이 입을 열었다.

"아주머니는 요술을 믿나요?"

디콘의 어머니는 다정하게 웃었다.

"믿고말고요. 도련님이 이렇게 튼튼해지고 태양이 빛나고 흙 속에서 새싹이 돋아나게 하는 힘이 요술의 힘이죠. 나는 그것을 하느님이라 부른답니다. 하느님은 우리 눈에 보이지 않기 때문에 딱 잘라 말할 수는 없지만, 그분은 자애롭고 위대하신 분이지요. 도련님도 믿어 보세요. 아마 세상이 지금보다 훨씬 아름다워 보일 거예요."

"정말 그럴까요?"

디콘의 어머니는 코린의 등을 다정하게 보듬어 주었다.

한창 이야기를 나누다 보니 배가 출출했다. 디콘이 장미 덩굴로 뛰어가 바구니를 가져왔다. 세 아이들은 디콘 어머니와 함께 어느 때보다도 맛있게 먹었다. 코린은 간식을 먹으며, 아픈 사람처럼 신경질을 부리고, 음식도 조금만 먹는 게 요즘 들어 너무 힘들다며 짐짓 투정을 부렸다. 그러자 모두들 한바탕 웃었다.

"연극을 잘 하는군요. 그렇지만 아버님이 곧 돌아오실 테니까 그 연극도 오래 갈 수는 없겠네요."

"아버지가 빨리 돌아오셔야 할 텐데."

"도련님은 이렇게 건강하게 된 걸 아버님께 어떻게 알려 드릴 생각이에요?"

"그래요. 날마다 그 궁리만 하는걸요. 난 아버지가 이번 일을 다른 사람들에게서 듣는 게 싫어요. 내가 직접 아버지에게 말씀드릴 거예요."

"아버님 방으로 직접 뛰어들어가는 건 어때요?"

"그것 참 좋은 방법 같은데요!"

코린은 이제야 한숨 돌린 표정이었다.

이런저런 이야길 하다 보니 시간은 총알처럼 지나갔다. 이제 집으로 돌아갈 시간이었던 것이다. 그러나 코린은 디콘의 어머니와 헤어지는 게 너무나 아쉬워서 디콘의 어머니 옷자락을 잡아당겼다.

"아주머니는 정말 좋은 분 같아요. 내게도 어머니가 계시면 좋으련만……."

디콘의 어머니는 코린이 마치 아들이라도 되는 것처럼 코린을 자기 품에 꼭 안았다.

"도련님의 어머니는 항상 이 화원에 계세요. 한시라도 잊지 마세요."

디콘의 어머니는 코린을 안은 채 조용히 속삭였다.

비밀의 화원이 다시 살아나는 동안 두 아이들도 더욱더 건강해지고 있었다. 그 무렵 코린의 아버지 크레이븐 씨는 노르웨이와 스위스로 여행을 다니고 있었다.

크레이븐 씨의 마음은 아내가 죽은 10년 전부터 닫혀 있었다. 그래서 늘 미슬드웨이트와 멀리 떨어진 곳으로 돌아다녔다. 겉으로는 경치 좋은 곳을 구경하는 여행이었지만, 크레이븐 씨에게 그것은 방황의 연장일 뿐이었다. 그리하여 그는 항상 어둡고 슬픈 얼굴을 하고 있었던 것이다.

그러던 어느 날, 크레이븐 씨에게 이상한 변화가 생겼다. 알프스의 아름다운 골짜기를 거닐고 있을 때였다. 아무리 절망을 안고 사는 크레이븐 씨였지만, 자신도 모르게 고개를 들어 주위를 둘러볼 만큼 경치는 뛰어났다. 어느 순간 10여 년 동안 자신을 지배해 온 절망의 그림자를 잊어버리고, 주위의 맑은 공기와 멋진 경치에 넋을 잃은 자신을 발견했다. 몸이 가벼워지는 듯한 느낌이 들면서 마음속 저 깊은 곳에서 알 수 없는 감정이 샘솟는 것 같았다.

"이게 어찌된 일이지? 내가 새삼 다시 살아나는 것 같은 기분이야."

이런 감정은 놀랍게도 하루 종일 계속되었다. 그래서 크레이븐 씨는 아주 오랜만에 깊은 잠을 잘 수 있었다.

여느 때와 마찬가지로 여기저기 여행을 마치고 돌아온 저녁이었다. 호텔로 들어서다가 호숫가에 잠시 들렀다. 고요한 호수는 어둠에 싸여 있었다. 크레이븐 씨는 의자에 잠시 몸을 기대고 생각에 잠겼다. 문득 앓고 있는 아들 생각을 하니 마음이 아팠다. 그러다가 이상하게도 마음이 편안해져 곧 깊은 잠이 들고 말았다.

크레이븐 씨는 꿈인지 생시인지 분간할 수 없는 상태에서 누군가가 자기를 부르는 소릴 들었다. 멀리서 부르는 소리인 것 같았지만 이상하게도 자기를 부르고 있다는 걸 분명히 알 수 있었다.

"여보! 저예요."

소리는 점점 가까운 곳에서 들렸고 마침내 크레이븐 씨의 귓가에서 들리는 것처럼 생생했다.

"아니, 당신이……. 어디 있는 거요?"

"여보, 여기는 화원이에요."

맑고 고운 음성은 분명히 10년 전에 죽은 아내의 목소리였다.

크레이븐 씨가 눈을 떴을 때는 이미 아침이었다. 밤새 의자 위에서 잠들어 있었던 것이다. 호텔 사환이 의자 옆에 편지 몇 통이 얹힌 쟁반을 들고 서 있었다. 크레이븐 씨는 무심코 편지를 받아 들었다. 영국에서 온 편지였는데 낯선 사람의 글씨였다.

안녕하십니까?

저는 언젠가 선생님을 한 번 뵌 적이 있는 수잔 소와비입니다. 대단한 실례가 될 줄 알면서도 한 가지 말씀을 드리려고 합니다. 선생님께서는 이제 그만 집으로 돌아오시는 게 어떠신지요? 돌아오시면 무척 기쁜 일들이 일어날 것입니다.

수잔 소와비

크레이븐 씨는 편지를 다시 한 번 읽으며 중얼거렸다.

"곧 집으로 가야겠어."

집으로 돌아오는 동안 그는 아들 코린 생각만 했다. 10년 동안 아들을 잊어버리려고만 했었는데 참으로 알 수 없는 일이었다. 저택이 가까워질수록 크레이븐 씨의 가슴은 한층 두근거렸다. 처음 이 집을 나설 때의 우울함은 깨끗이 씻겨 나간 상태였다.

'얼른 가서 화원의 열쇠를 찾아보자.'

크레이븐 씨는 꿈에 만난 부인의 말을 잊을 수가 없었다.

이윽고 넓은 들판을 지나 집에 도착했다. 하인들은 오랜만에 나타난 주인 크레이븐 씨를 예의바르게 맞이했다. 크레이븐 씨는 예전처럼 곧장 서재로 들어가 버리지 않고, 메들록 부인부터 먼저 불렀다.

"코린은 어떤가?"

"도련님은 정말 많이 변했습니다."

"어떻게 변했는가? 더 나빠졌단 말인가?"

"분명한 건 저도, 간호사도, 크레이븐 의사도 잘 모릅니다. 도련님의 행동은 도대체 종잡을 수가 없었습니다. 어느 날엔 식사를 많이 드시다가 또 어느 날엔 아예 손도 안 대시는데다 바깥에 나가기 싫어하시던 분이 요즘은 매일 메리 아가씨와 함께 밖으로 나가십니다."

메들록 부인의 말에 크레이븐 씨는 근심스러운 빛이 역력했다.

"코린은 지금 어디 있지?"

"화원에 계십니다."

"화원에?"

크레이븐 씨는 곧 화원으로 향했다. 한 걸음에 화원 근처로 달려간 크레이븐 씨는 문득 걸음을 멈추었다. 화원 안에서 무슨 소리가 들리는 것 같았기 때문이었다. 가만히 들어 보니 즐겁게 이야기하며 웃는 소리였다. 이게 꿈이 아닌가 싶을 만큼 믿기지 않는 소리였다.

그 때, 안에서 문이 열리고 사내아이가 뛰어나오다가 그만 크레이븐 씨와 부딪쳤다.

"넌 누구지?"

사내아이는 깜짝 놀란 눈치였다.

"아, 아버지. 저 코린이에요."

코린은 이렇게 아버지를 만나리라고는 짐작도 하지 못했다. 그건 크레이브 씨도 마찬가지였다.

"아버지, 제가 이렇게 건강해졌어요! 화원이 저를 이렇게 만들었어요. 그리고 메리와 디콘 덕분이지요. 전 이제 달리기도 잘해요."

크레이브 씨는 코린의 말이 믿기지 않았다. 또다시 꿈을 꾸는 듯한 기분이었다.

"내 아들아……! 나를 화원으로 데려가 다오."

코린은 아버지를 화원으로 안내했다. 10년 만에 처음으로 들어가 보는 화원이었다. 뜻밖에도 화원은 십년 전처럼 꽃과 나무들이 아름답게 우거져 있었다. 크레이브 씨는 이 믿을 수 없는 광경에 눈물이 날 듯이 기뻤다.

기뻐하는 아버지를 보자 코린의 기분도 날아갈 듯이 좋았다. 그래서 이제까지 있었던 일들을 아버지에게 모두 털어놓았다. 한밤중에 메리를 만난 일, 화원에 처음 온 일, 벤 할아버지를 만난 일, 동물을 만난 일, 일부러 사람들을 속인 일까지 코린은 지치지도 않고 주워섬겼다.

코린은 자랑스러운 듯 웃으며 한 마디 더 했다.

"아버지가 오셨으니까 이제 비밀은 없어졌어요. 모두들 나를 보면 깜짝 놀라겠죠? 예전의 말라깽이 고집쟁이는 없어졌으니까요. 이제 아버지와 함께 집까지 걸어갈래요."

작품 알아보기
(장편문학)

〈**지킬 박사와 하이드**〉는 일종의 괴기 소설이다.

친절하고 인정 많은 헨리 지킬 박사는 인간에게 선과 악의 두 가지 본능이 있다는 생각에 사로잡힌다. 지킬 박사는 두 가지 본능을 분리시킴으로써 인간이 자유로워질 수 있을 것이라 생각하고 화학 약품을 이용하여 실험에 착수한다. 지킬 박사는 자신과 정반대 성질을 지니고 무서운 범죄를 저지르는 하이드로 변신하는 데에 성공한다. 이후 계속해서 약품을 사용하던 지킬 박사는 불행하게도 더 이상 사악한 하이드를 통제할 수 없게 된다. 지킬 박사는 신의 섭리를 그르치는 약을 만든 것을 후회하며 자신을 저주한다. 결국 하이드는 살인을 하고 경찰에게 쫓겨, 체포되려는 순간 자살하여 모든 것을 유서로 고백한다는 내용이다.

이 작품은 오늘날 '이중인격'이라는 단어를 떠올리면 곧 〈지킬 박사와 하이드〉가 생각날 정도로 사람들에게 이중인격에 대한 강한 인상을 심어 주었다. 또한 19세기에 쓰여진 고전이지만 현대인의 성격 분열을 암시하고, 그 착상이 특이하고, 스릴도 있어 독자들로 하여금 쉽게 작품 속으로 빠져들게 한다.

작품 알아보기
(장편문학)

〈비밀의 화원〉은 영국 시골의 아름다운 자연 환경을 배경으로, 한 말괄량이 소녀가 차차 주위를 변화시키는 모습이 아기자기하게 묘사되어 있다.

인도에서 자란 메리는 부모님을 한꺼번에 잃게 되자 영국에 있는 고모부 크레이븐 씨에게 맡겨진다. 하지만 크레이븐 씨의 저택에는 행복한 기운이라고는 전혀 없다. 아내를 잃은 슬픔 때문에 크레이븐 씨는 언제나 외출 중이었으며 하나밖에 없는 아들 코린은 허약하여 늘 방 안에만 갇혀 지낸다. 그러던 어느 날 메리는 10년 동안이나 닫혀 있던 비밀의 화원을 우연히 발견하게 되고, 아름다운 풍경에 도취된다. 또한 디콘이라는 소년도 만나게 된다. 얼마 후 메리와 디콘은 코린을 비밀의 화원으로 데려가고, 그 뒤부터 코린은 점차 건강을 회복하고 긍정적인 소년으로 변하게 된다. 오랜 여행을 마치고 돌아온 크레이븐 씨는 몰라보게 달라진 코린의 건강한 모습을 보고 10년 동안의 우울함을 접고 오랜만에 아들과 활짝 웃을 수 있게 된다.

〈비밀의 화원〉은 명랑하고 따뜻한 사람들을 통해 가정의 참모습과 사랑을 보여 주는 작품이라 할 수 있다.

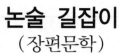

논술 길잡이
(장편문학)

❶ 다음은 지킬 박사가 어터슨에게 남긴 유언장의 한 대목이
  다. 이 글을 읽고 지킬 박사의 주요 연구 과제에 대해 써 보
  자.

  쉽게 설명을 하면, 내 마음속에 있는 선과 악이라는 감정은 언제나
서로 싸움을 한다. 나라는 인간은 선이면 선, 악이면 악, 이렇게 딱 어
느 한쪽으로 이루어진 것이 아니라, 선한 부분과 악한 부분 양쪽으로
나누어져 있다는 것이다.

논술 길잡이
(장편문학)

❷ 지킬 박사가 훌륭한 자기 저택이 있음에도 불구하고, 번잡한 상점가에 있는 낡은 2층집을 별도로 마련한 까닭을 쓰라.

....

....

....

....

❸ 두뇌도 명석하고 신체 건강한 레니언 박사가, 갑자기 정신적, 육체적으로 허약해지면서 죽어 간 이유를 쓰라.

....

....

....

....

논술 길잡이
(장편문학)

❹ 지킬 박사는 첫 유언장에, 자신이 3개월 이상 행방 불명이
될 경우, 전 재산을 하이드에게 양도한다고 했다가, 마지막
유언장에는 양도자를 어터슨으로 바꾸었다. 왜 그랬는지 그
경위를 적어 보자.

....

....

....

....

❺ 지킬 박사는 하이드가 사라진 후 2개월 동안은 밝고 평화로
운 생활을 하였다. 그러나 그가 끝내 그런 상태를 유지하지
못하고 하이드로 변신한 채 죽음을 맞이하게 된 까닭을 본
문에서 찾아 쓰라.

....

....

....

논술 길잡이
(장편문학)

❻ 〈비밀의 화원〉에 나오는 인물들의 말과 행동을 통하여 각각
의 성격을 파악해 보고, 그 근거를 찾아 써 보자.

등장 인물	성 격	근거(말이나 행동)
메 리		
마 사		
디 콘		
코 린		
크레이븐		

논술 길잡이
(장편문학)

❼ 아래 그림은 메리가 '비밀의 화원'에 들어가 화초를 가꾸는
장면이다. 메리는 이 화원에 대해 어떤 구상을 했으며, 결국
어떠한 결과를 가져왔는지 써 보자.

논·술·세·계·대·표·문·학 〈전60권〉

펴 낸 이   정재상
펴 낸 곳   훈민출판사
주   소   경기도 고양시 덕양구 원당동 416번지
대 표 전 화   (031)962-3888
팩   스   (031)962-9998
출 판 등 록   제395-2003-000042호

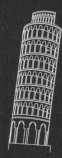